KB062181

호두까기 인형과 생쥐 왕

♦ ♦ ♦

교보클래식 001

호두까기 인형과 생쥐 왕

에른스트 테오도어 아마데우스 호프만 지음
정영은 옮김 · 강주헌 번역 감수

교보문고

차례

훌륭한 건축물을 아침 햇살에 비춰 보고
정오에 보고 달빛에도 비춰 보아야 하듯이
진정으로 훌륭한 책은 유년기에 읽고
청년기에 다시 읽고 노년기에 또다시 읽어야 한다.

- 로버트슨 데이비스Robertson Davies

1장

크리스마스이브

매년 12월 24일이면 의사인 스탈바움 씨네 아이들은 거실 근처에는 온종일 얼씬도 할 수 없었다. 거실 옆 널찍한 응접실은 두말할 것도 없이 출입금지였다. 프리츠와 마리는 응접실 옆 작은 방 구석에 서로 꼭 붙어 앉아 있었다. 저녁이 되며 해가 저물었지만 평소처럼 불을 켜주러 들어오는 이도 없었다. 어둠 속에 앉아 있자니 으스스한 기분이었다. 프리츠는 이제 일곱 살인 동생 마리에게 응접실에서 부스럭거리는 소리와 덜컹거리는 소리, 뭔가를 조심조심 두드리는 소리가 흘러나오는 것을 들었노라고 비밀스럽게 속삭였다. 프리츠는 또 조금 전 피부가 거무스름하고 키가 작은 남자 한 명이 옆구리에 큰 상자를 끼고 복도를 지나는 것을 보았다며, 그 남자가 드로셀마이어 대부가 틀림없다고도 말했다. 마리는 기뻐서 작은 두 손으로 손뼉을 치며 외쳤다.

"드로셀마이어 대부님이 이번에는 얼마나 근사한 선물을 가지고 오셨을까?"

고등법원 판사인 드로셀마이어 대부는 잘생긴 것과는 거리가 멀었다. 깡마른 작은 체구에 얼굴은 주름투성이였고, 오른쪽 눈에는 큼지막한 검은색 안대를 하고 있었다. 게다가 머리카락은 하나도 없어서 가느다란 유리섬유로 솜씨 좋게 만든 흰색 가발을 늘 쓰고 다녔다. 그런데 드로셀마이어는 손재주가 무척 뛰어난 사람이었다. 시계에 대한 지식도 남달라서 시계를 직접 만들기도 했다. 스탈바움 씨네 집에 있는 멋진 시계들 중 하나가 고장 나 차임벨이 제대로 울리지 않을 때면 늘 드로셀마이어가 해결해주었다. 시계를 고칠 때면 유리 가발과 노란 겉옷을 벗어두고 파란 앞치마를 두른 후 뾰족한 도구로 시계장치 내부를 쑤셔대곤 했는데, 그 광경은 늘 어린 마리의 마음을 아프게 했다. 그러나 드로셀마이어는 시계를 다치게 한 적이 결코 없었다. 오히려 그렇게 하고 나면 시계는 금세 되살아나 똑딱거리고 땡땡거리며 시간을 알려 모두를 기쁘게 했다. 드로셀마이어 대부는 스탈바움 씨네 집을 방문할 때면 늘 가방 속에 아이들을 위한 선물을 가지고 왔다. 대부가 가져온 선물 중에는 뒤룩대며 눈알을 굴리고 인사를 하는 익살스러운 꼭두각시 인형도 있었고, 뚜껑을 열면 작은 새가 튀어나오는 상자도 있었다. 크리스마스 때면 평소보다 더 공들여 직접 만든 선물을 가져왔는데, 이런 선물들은 마리와 프리츠의 손에 들어오기가 무섭게 부모님이 따로 보관해 관리하고는 했다.

"아, 드로셀마이어 대부님이 이번에는 어떤 근사한 선물을 주실까?" 어린 마리가 다시 한번 외쳤다.

프리츠는 이번 크리스마스에는 분명 요새를 선물해주실 거라고 말했다.

"근사한 군인들이 이리저리 행진하고 연병장에서는 훈련을 하겠지. 밖에 있는 적군들이 쳐들어오려고 하면 요새 안의 군인들은 요란한 굉음을 내는 대포를 쏘아대며 용감하게 방어할 거야."

"아니야, 그게 아니야." 프리츠의 말에 마리가 끼어들었다.

"분명 대부님이 커다란 호수가 있는 아름다운 정원을

만들어준다고 하셨어. 호수에는 금목걸이를 두른 우아한 백조가 세상에서 제일 아름다운 노래를 하며 헤엄쳐 다니고, 작은 여자아이가 정원을 지나 호숫가로 걸어 나와서는 백조들을 불러 달콤한 마지팬 과자*를 먹이는 거야."

"백조가 무슨 마지팬 과자를 먹냐!" 이번에는 프리츠가 퉁명스럽게 마리의 말을 잘랐다.

"아무리 대부님이라도 그런 정원을 다 만들 수는 없어. 게다가 대부님이 주시는 장난감은 받자마자 엄마 아빠가 따로 보관하셔서 우리가 가지고 놀 수도 없잖아. 난 엄마 아빠가 주시는 선물이 더 좋아. 마음대로 가지고 놀 수 있으니까."

마리와 프리츠는 이번 크리스마스에는 어떤 선물을 받게 될지 계속 상상의 나래를 펼쳤다. 마리는 요즘 트루트헨 아가씨가 너무 남루해져 버렸다며 투덜거렸다(트루트헨은 마리가 늘 가지고 노는 큰 인형이었다). 트루트헨은 칠칠치 못하게 자꾸만 넘어져서 얼굴은 지저분해지고 옷도 꾀죄죄해져 버렸다. 마리는 자기가 트루트헨을 앉혀놓고 조심해서 다니라

* 아몬드 분말과 설탕을 반죽해 만든 과자

고 몇 번을 침착하게 타일렀지만 소용없더라며 속상해했다. 또 마리는 엄마가 트루트헨에게 작은 양산을 사주셨던 이야기를 하며, 자기가 기뻐하자 엄마도 웃으시더라고 말했다. 프리츠는 장난감 말들을 모아둔 마구간에 갈색 말이 한 필 있으면 좋겠다는 말과 함께 장난감 병정 부대에 기병이 없다는 걸 아빠도 눈치채셨을 거라고 덧붙였다.

마리와 프리츠는 지금쯤 부모님이 온갖 근사한 선물들을 거실 탁자에 올려두고 계실 거라고 굳게 믿었다. 아이들은 예수님이 상냥한 눈을 반짝반짝 빛내며 자신들을 굽어보고 있다는 것을 알았고, 자애로운 축복의 손길을 거친 크리스마스 선물들로 매년 더 큰 기쁨을 안겨 주리라는 것도 알았다. 마리와 프리츠가 받고 싶은 선물 이야기를 늘어놓으며 재잘거리고 있는데 첫째 루이제가 다가와 동생들에게 중요한 사실을 상기시켜 주었다. 부모님의 손을 빌려 아이들이 좋아하는 선물을 주시는 분은 바로 예수님이라는 사실이었다. 루이제는 예수님께서는 선물을 받는 아이들보다도 그 아이들의 마음을 잘 알고 계시니 착한 어린이라면 받고 싶은 선물을 고를 게 아니라 예수님의 선물을 얌전히 기다려야 한다고 타일렀다. 언니의 말을 들은 어린 마리는 조용히 생각에 잠겼지만, 프리츠는 여전히 툴툴거렸다.

"그래도 갈색 말이랑 경기병 부대는 꼭 가지고 싶단 말이야."

주위가 완전히 캄캄해지자, 프리츠와 마리는 아무 말도 하지 못한 채 더 바싹 붙어 앉았다. 마치 보드라운 날개가 하늘거리며 주위를 감싸고 멀리서 아름다운 음악소리가 들려오는 것 같았다. 벽에 비치는 밝은 빛을 본 아이들은 이제 예수님이 찬란한 구름을 타고 프리츠와 마리 같은 또 다른 행복한 아이들을 만나러 가셨다는 것을 알 수 있었다. 그 순간 낭랑한 종소리와 함께 응접실로 이어지는 문이 활짝 열리며 밝은 빛이 쏟아져 들어왔다. 아이들은 "우와!" 하고 소리를 지르며 응접실로 향하다가 발이 땅에 붙은 듯 문턱에서 그대로 멈춰 서버렸다. 어머니와 아버지가 문으로 다가와 아이들의 손을 잡아 이끌며 이렇게 말했다.

"어서 들어오렴, 얘들아. 어서 이리 와서 예수님이 너희에게 주신 선물을 보렴."

2장

선물

에른스트, 테오도어, 프리츠. 이름이 무엇이 됐든 지금 이 이야기를 읽고 있는 독자라면 지난 크리스마스를 한 번 떠올려보면 좋겠다. 아름답게 장식된 탁자 위에 알록달록한 포장지로 예쁘게 포장한 선물들이 잔뜩 놓여 있는 광경을 생생하게 그리다 보면 눈을 동그랗게 뜬 채 응접실 문 앞에서 얼어붙어 버린 스탈바움 씨네 아이들의 마음을 충분히 이해할 수 있을 것이다. 마리는 잠시 후에야 경탄하며 외쳤다.

"와, 정말 예뻐요! 너무 예뻐요!"

프리츠는 기쁨에 겨워 자리에서 팔짝팔짝 뛰었다. 아이

들이 지난 1년간 특별히 착하게 굴었는지, 탁자 위에 펼쳐진 선물들은 그 어느 때보다도 근사하고 화려했다. 응접실 가운데에 놓인 커다란 전나무 트리에는 금빛과 은빛 사과가 주렁주렁 달려 있었고, 설탕을 입힌 아몬드와 알록달록한 사탕이 꽃과 봉오리처럼 피어나 있었다. 전나무 가지에는 온갖 맛있는 것들이 가득 달려 있었다. 하지만 제일 근사한 것은 따로 있었다. 바로 전나무 가지를 장식한 수백 개의 전구가 별처럼 반짝이는 모습이었다. 반짝이는 불빛은 마치 어서 이리 다가와 트리에 열린 과일과 꽃을 마음껏 따 가라고 아이들에게 손짓하는 것 같았다. 트리 아래에 놓인 선물들도 모두 아름답고 화려하게 빛나고 있었다. 그 광경이 어찌나 근사하던지, 말로는 도저히 표현할 수가 없었다.

마리는 예쁜 인형들을 바라보았다. 인형들 옆에는 인형놀이에 쓸 수 있는 작은 가구와 앙증맞은 물건들이 함께 놓여 있었다. 여러 선물들 중에서도 마리의 마음을 사로잡은 것은 색색의 리본이 우아하게 장식된 비단 드레스였다. 드레스는 사방에서 살펴볼 수 있도록 옷걸이에 걸려 있었다. 마리는 새 옷을 이리저리 살피며 외쳐댔다.

"우와, 너무 곱고 예뻐요! 이게 정말 제 옷인가요? 진짜

제가 입어도 되는 옷인가요?"

프리츠는 자기가 원하던 갈색 장난감 말이 탁자 다리에 묶여 있는 모습을 보았다. 말에 올라타고 탁자 주위를 서너 바퀴 돌아본 프리츠는 꽤 사나운 야생마지만 자기가 잘 길들일 테니 걱정하지 말라고 말했다. 프리츠는 또 붉은색과 황금색이 섞인 제복을 단정히 차려입은 기병대를 살펴보았다. 병사들은 은으로 만든 무기를 들고 있었는데, 타고 있는 백마가 어찌나 반짝반짝 빛나는지 말까지 순은으로 만든 것만 같았다.

이제 좀 차분해진 아이들은 앞에 펼쳐진 그림책에 관심을 보였다. 그림책에는 아름다운 꽃, 화려한 차림의 사람들, 그리고 귀여운 아이들이 그려져 있었다. 그 모습이 어찌나 생생한지 마치 살아 숨 쉬며 서로 대화하고 있는 것 같았다. 그런데 아이들이 막 그림책을 자세히 살펴보려던 찰나, 다시 종소리가 울렸다. 드로셀마이어 대부가 선물을 줄 준비를 마쳤다는 신호였다. 아이들은 벽 옆에 놓인 탁자로 갔다. 조금 전까지 대부의 선물을 가리고 있던 가리개는 사라지고 없었다. 아이들은 과연 그곳에서 무엇을 보았을까?

탁자 위에는 형형색색의 꽃이 만발한 파란 잔디밭에 위

풍당당하게 서 있는 성이 한 채 있었다. 거울처럼 반짝이는 수많은 창문과 금박을 입힌 성탑이 아이들의 눈에 들어왔다. 종소리가 울리며 문과 창문이 열리자 정교하게 만든 작은 신사와 귀부인 모형이 성안을 돌아다니는 모습이 보였다. 깃털 장식 모자를 쓴 인형이 있는가 하면 치맛자락이 길게 끌리는 드레스를 입은 인형도 있었다. 중앙 연회장은 은으로 만든 샹들리에 조명 덕에 마치 불이라도 난 것처럼 환했고, 그 안에서는 짧은 재킷에 치마를 차려입은 아이들이 종소리에 맞춰 춤을 추고 있었다. 에메랄드색 외투를 입은 신사는 한쪽 창에서 손을 흔들고 사라지기를 반복했고, 프리츠 아버지의 엄지손가락만 한 크기의 드로셀마이어 대부는 성문 안으로 들어갔다 나오기를 반복했다. 프리츠는 탁자 위에 손을 올린 채 아름다운 성의 모습과 그 안에서 춤추고 산책하는 작은 사람들을 바라보다가 외쳤다.

"대부님! 저도 성에 들어가고 싶어요!"

드로셀마이어 대부가 그건 불가능한 일이라고 답했다. 맞는 말이었다. 성탑의 높이까지 합쳐봤자 프리츠의 키에도 미치지 못하는 성안에 들어가고 싶다는 생각은 어리석었고, 프리츠도 곧 그 사실을 깨달았다. 프리츠는 다시 성을 바라보았다. 하지만 아무리 봐도 귀부인과 신사들은 같은 곳을 산책했고 아이들은 똑같은 춤을 추었으며 에메랄드빛 외투의 신사는 같은 창문에서 인사를 하고 드로셀마이어 대부는 같은 성문으로만 들어오고 나갔다. 마침내 프리츠가 안달을 내며 외쳤다.

"대부님! 이번에는 다른 문으로 나와보세요. 저기 저 문이요!"

"그럴 수는 없단다, 프리츠."

"그럼 저 에메랄드빛 외투를 입은 신사도 다른 사람들과 같이 산책할 수 있게 해주세요. 자꾸 창밖을 바라보는 저 분 말예요."

"그것도 할 수 없어."

"그럼 춤추는 아이들이 이쪽으로 내려오게 해주세요. 더 가까이서 보고 싶어요."

"그런 건 안 된대도!" 드로셀마이어 대부가 결국 역정을 냈다. "기계 장치는 처음에 설계한 대로만 작동하는 거야!"

"그렇단 말이에요? 그럼 제가 원하는 건 아무것도 할 수 없는 거예요? 대부님, 저 안에 있는 작은 사람들이 계속 똑같은 일만 반복한다면 그게 무슨 소용이에요? 저는 그런 건

별로예요. 차라리 제 경기병이 훨씬 나아요. 제 마음대로 앞뒤로 움직일 수 있고 성에 갇혀 있지도 않으니까요."

그렇게 말한 프리츠는 아까 본 선물들이 있는 탁자로 달려가서는 은빛 말을 탄 경기병들을 이리저리 달리게 하고 대포를 마음껏 쏘아대며 병정놀이를 했다. 성안에 있는 모형들의 똑같은 움직임에 싫증이 난 마리도 살그머니 자리를 떴다. 하지만 착하고 얌전한 마리는 오빠인 프리츠처럼 요란스럽게 싫은 티를 내지는 않았다.

"역시 철없는 아이들에게는 과분한 선물이었군요. 다시 가져가겠습니다!" 드로셀마이어 대부는 굳은 목소리로 마리와 프리츠의 부모에게 말했다.

그러자 어머니가 나서서 관심을 보이며 작은 인형들을 움직이게 하는 정교한 기계장치와 톱니바퀴들을 구경하고 싶다고 했고, 드로셀마이어 대부는 그 자리에서 성을 분해해 내부를 보여주고는 다시 조립했다. 장치를 보여주는 사이 다시 기분이 좋아진 드로셀마이어는 아이들에게 황금빛 얼굴과 손, 다리를 지닌 갈색의 예쁜 남녀 인형들을 선물로 주었다. 토룬*산 생강빵 인형이었는데, 크리스마스 쿠키처럼 달콤한 향신료 냄새를 풍겼다. 프리츠와 마리는 무척 기뻐했다. 어머니는 루이제에게 선물로 받은 예쁜 드레스를 입어 보라고 권했다. 새 옷을 입은 루이제는 무척 아름다웠다. 어머니는 마리에게도 새 드레스를 입어보라고 했지만 아이는 이대로 옷을 잠시만 더 구경하고 싶다고 했고, 어른들은 아이가 원하는 대로 하게 두었다.

* 폴란드의 도시

3장

마리의 마음을 사로잡은 호두까기 인형

사실 마리가 드레스를 입어보러 가지 않고 크리스마스 선물이 놓인 탁자 옆에 있으려 하는 진짜 이유는 따로 있었다. 조금 전까지는 눈에 띄지 않았던 새로운 선물을 발견했기 때문이다. 그 선물은 근처에서 경기병 중대를 가지고 열병식 놀이를 하던 프리츠가 병정들을 다른 곳으로 치운 후에야 마리의 눈에 들어왔다. 이상하게 마음을 잡아끄는 모습의 그 작은 남자 인형은 자기 차례가 오기를 조용히 기다린 것처럼 그 자리에 얌전히 서 있었다. 결코 멋들어진 모습의 인형은 아니었다. 길고 우람한 상체와 짧고 가는 다리는 균형이 맞지 않았고, 무엇보다 머리가 지나치게 컸다. 하지만 교양 있어 보이는 고상한 옷차림 덕에 그 남자 인형은 전혀 우스꽝스러워 보이지 않았다. 하얀 수술 장식과 단추가 여러 개 달린 진홍색의 단정한 경기병 제복 상의에 무릎까지 내려오는 군인용 반바지를 받쳐 입고 멋진 부츠를 신고 있었는데, 특히 부츠는 대학생이나 장교가 신는 것처럼 근사했다. 긴 부츠가 다리에 어찌나 꼭 맞는지, 마치 다리에 부츠를 직접 그려 놓은 것 같았다. 그런데 어찌 된 일인지 말쑥하게 차려입은 인형의 등에는 제복과 전혀 어울리지 않는 나무 망토가 둘러져 있었다. 머리에 쓴 광부 모자도 영 어색하기는 마찬가지였다. 그러나 마리는 드로셀마이어 대부님도 허름한 외투에 이상하게 생긴 모자를 쓰고 다니지만 늘 다정하고 친절한 분이라는 사실을 떠올렸다. 그렇더라도 드로셀마이어 대부님이 멋진 제복을 차려입는다고 한들, 이 인형처럼 멋지지는 않을 것 같았다. 마리는 처음 본 순간부터 어딘가 자꾸 마음이 끌리는 그 인형을 계속 바라보았다. 살짝 튀어나온 연한 녹색의 선한 눈에는 다정함이 가득했다. 흰색 면사를 가지런히 잘라 붙인 턱수염도 무척 잘 어울렸다. 흰 턱수염은 인형의 붉은 입술에 걸린 부드러운 미소를 한층 돋보이게 했다.

홀린 듯이 인형을 바라보던 마리가 마침내 탄성을 내뱉었다.

“우와! 아빠, 이 작고 멋진 인형은 누구에게 줄 거예요?”

“너희 셋 모두에게 주는 거란다. 그 호두까기 인형이 너와 프리츠, 그리고 루이제를 위해 딱딱한 호두를 열심히 깨 줄 거야.”

마리의 아버지는 그렇게 말하며 호두까기 인형을 집어 들었다. 아버지가 인형의 등에 둘러진 나무 망토를 위로 들자 인형은 하얗고 날카로운 아랫니와 윗니를 드러내며 입을 아주 크게 벌렸다. 아버지는 마리에게 인형의 입에 호두를 넣어보라고 했다. 호두를 넣고 망토를 아래로 내리자 ‘와작’ 소리를 내며 껍데기가 깨지고 고소한 알맹이가 마리의 손바닥으로 톡 떨어졌다. 마리를 포함한 모두는 그 인형이 호두까기 가문의 후예로서 선조들로부터 물려받은 가업을 충실히 수행하고 있다는 것을 알 수 있었다.

“아무래도 우리 귀여운 마리가 이 작은 친구를 무척 마음에 들어 하는 것 같구나. 아까 말한 대로 루이제와 프리츠도 언제든 이 인형으로 호두를 까도 좋지만, 인형을 보살피는 건 마리 네게 맡기마.”

마리는 기뻐 어쩔 줄 몰라 하며 곧바로 인형을 품에 안고는 호두를 까기 시작했다. 하지만 마리는 인형이 입을 너무 크게 벌리지 않도록 작은 호두만 골라서 깠다. 입을 쩍 벌린 모습은 아무래도 인형에게 어울리지 않았기 때문이다. 잠시 후 루이제가 마리에게 다가왔고, 호두까기는 루이제가 먹을 호두의 껍데기도 열심히 깠다. 호두까기 인형은 자매를 위해 호두를 까줄 수 있어 기쁘다는 듯 계속 다정한 미소를 지었다. 그때 병정놀이와 말타기에 싫증이 난 프리츠가 호두까는 경쾌한 소리를 듣고 다가왔다. 프리츠는 인형의 생김새가 우스꽝스럽다며 한참을 웃더니 자기도 호두를 먹겠다며 호두까기 인형으로 껍데기를 까기 시작했다. 이제 인형은 세 아이의 손을 오가며 쉴 새 없이 호두를 까야 했다. 프리츠는 제일 크고 단단한 호두만 골라 인형의 입에 밀어 넣었다. 그러기를 몇 번, 결국 뭔가 부러지는 소리가 났고 인형의 입에서 작은 이 세 개가 후드득 떨어졌다. 인형의 아래턱도 헐거워져 흔들리고 있었다.

"아, 가엾게도!" 마리가 깜짝 놀라 프리츠의 손에 들린 인형을 잡아채며 외쳤다.

"뭐야, 형편없잖아. 호두까기가 무슨 턱이 저렇게 약해?

자기 일도 제대로 못 하는 녀석이네. 이리 줘봐, 마리. 이가 다 부러지더라도 호두를 깨야겠어. 그런 아무짝에도 쓸모없는 녀석은 혼이 좀 나야 해."

"안 돼! 싫어!" 마리가 울음을 터뜨렸다. "오빠한테는 절대로 내 가엾은 호두까기를 주지 않을 거야. 이것 봐. 입에 상처를 입고 슬픈 눈으로 나를 보고 있잖아. 오빤 정말 못됐어! 맨날 말한테도 채찍질이나 하고, 병정놀이를 할 때는 병사들을 총살하기까지 하잖아."

"원래 그렇게 노는 거야. 네가 뭘 안다고 그래? 어쨌든 아까 아빠가 호두까기는 모두 같이 가지고 놀라고 하셨잖아. 그러니 어서 이리 내."

마리는 애처롭게 흐느끼며 작은 손수건으로 다친 호두까기 인형을 부드럽게 감싸주었다. 아이들이 다투는 소리를 들은 부모님과 드로셀마이어 대부가 다가왔다. 마리가 사정을 설명했지만 서럽게도 드로셀마이어 대부는 프리츠의 편을 들었다. 그러나 다행히도 아버지가 마리의 편을 들어주었다.

"호두까기 인형을 보살피는 건 마리에게 맡긴다고 아까 아빠가 분명히 말하지 않았니? 보아하니 지금이야말로 보살

핌이 필요한 시점이구나. 호두까기 인형은 마리가 원하는 방식으로 잘 돌봐주렴. 권한은 마리에게 있으니 모두 군소리 말고 따라야 한다. 그리고 프리츠, 아빠는 정말 놀랐다. 전투 중에 다친 병사에게 임무 수행을 강요하는 법이 어디에 있지? 훌륭한 군인이라면 부상병을 전투에 세워서는 안 된다는 사실을 누구보다 잘 알 텐데 말이다."

아버지의 말을 들은 프리츠는 자신의 행동이 부끄러웠는지 호두와 호두까기 인형을 내려놓고는 탁자 저쪽으로 가버렸다. 탁자 너머에 있던 경기병들은 주둔지 주위에 경계병을 세우고 막사로 돌아가 있었다.

마리는 호두까기 인형의 부러진 이들을 주워 모은 후 자기 옷에 달린 하얀 리본을 풀어 인형의 턱에 묶어주었다. 그러고는 겁먹은 듯 가련하게 떨고 있는 불쌍한 호두까기를 아까보다 더 조심스럽게 손수건으로 여며주었다. 마리는 아기를 달래듯 인형을 품에 안고 어르며 크리스마스 선물들 사이에 놓여 있는 그림책 속의 아름다운 그림들을 바라보았다. 그 모습을 본 드로셀마이어 대부는 못생긴 호두까기 인형을 극진히도 보살핀다며 마리를 놀려댔는데, 마리는 평소답지 않게 그 말에 발끈했다. 마리는 호두까기 인형을 처음

보았을 때 드로셀마이어 대부님과 묘하게 닮았다고 생각했던 것을 떠올리고는 쌀쌀맞은 말투로 쏘아붙였다.

“제 호두까기 인형이 어디가 어때서요? 대부님이 아무리 말쑥한 제복을 차려입고 번쩍번쩍 멋진 부츠를 신어도 제 인형보다 멋지진 않을걸요?”

이 말을 들은 부모님은 크게 웃었지만, 드로셀마이어 대부는 갑자기 얼굴이 빨개지며 웃음을 멈추었다. 왜 그랬을까? 마리는 그 이유를 알 수 없었다.

4장

놀라운 일들

스탈바움 씨네 거실문으로 들어서서 왼편으로 보이는 넓은 벽에는 앞면이 유리로 된 커다란 장식장이 하나 있었다. 아이들이 매년 크리스마스에 받은 선물을 보관하는 장식장이었다. 이 장식장은 루이제가 아주 어렸을 때 부모님이 솜씨 좋은 목수에게 부탁해 만든 것으로, 투명하게 반짝이는 유리창과 훌륭한 마감 덕에 무엇을 진열해놓아도 그냥 손에 들고 있을 때보다 더 예뻐 보였다. 마리와 프리츠의 손이 닿지 않는 맨 위 칸에는 드로셀마이어 대부가 공들여 만들어준 선물들이 진열되어 있었고, 그 바로 아래 칸에는 그림책이 꽂혀 있었다. 그 아래에 있는 나머지 두 칸은 마리와 프리츠의 몫이었는데, 맨 아래 칸은 마리가 만든 인형들의 보금자리였고 그 위 칸에는 프리츠의 병사들이 주둔하는 병영이 있었다. 아이들은 이번 크리스마스에 받은 선물들도 각자의 칸에 정리했고, 프리츠의 새 경기병 부대는 다른 부대들과 함께 위 칸에 배치되었다. 마리는 트루트헨 아가씨를 옆으로 살짝 치워 공간을 만들고 예쁜 옷을 입은 새 인형을 함께 놓아두었다. 예쁜 가구로 장식한 보금자리에 새 인형을 들인 마리는 인형놀이를 하며 맛있는 사탕과 과자를 인형들과 나눠 먹었다.

인형들의 보금자리는 예쁜 가구들로 가득했다. 지금 이 책을 읽고 있는 독자의 이름이 혹시 스탈바움 씨네 막내딸과 똑같은 마리일지 어떨지는 모르지만, 아마 책 속의 마리처럼 예쁜 꽃무늬 소파나 작고 앙증맞은 의자들, 멋진 티 테이블을 가지고 있지는 않을 것이다. 보금자리에는 예쁜 인형들이 누워서 쉴 수 있는 깨끗하고 안락한 침대도 있었다. 장식장 내부 벽은 아름다운 그림들로 도배까지 되어 있으니 새로운 인형도 틀림없이 그곳을 마음에 들어 할 것 같았다. 그날 저녁 알게 된 그 인형의 이름은 클라르헨이었다.

밤이 깊어 자정이 다 되어갈 무렵이었다. 드로셀마이어

대부는 한참 전에 집으로 돌아갔고, 아이들은 장식장 앞에서 새로운 선물을 가지고 노느라 여념이 없었다. 이제 자러 갈 시간이라고 어머니가 아무리 타일러도 소용없었다.

한참을 놀던 프리츠가 마침내 중얼거렸다.

"이제 자러 가야지. 내 경기병들도 좀 쉬고 싶을 거야. 이 불쌍한 녀석들은 내가 있으면 긴장해서 졸지도 못할 테니 내가 자리를 피해줘야지!"

프리츠는 그렇게 말하고 자러 갔지만, 마리는 계속 더 있고 싶다고 졸랐다.

"잠깐만 더 있게 해주세요, 엄마. 아주 잠깐만요. 아직 할 일이 많단 말이에요. 다 하면 금방 가서 잘게요."

마리는 책임감이 강하고 성실한 아이였다. 그 사실을 잘 알고 있는 어머니는 아이가 알아서 정리할 거라 믿고 조금 더 놀라고 허락해주었다. 그러나 새로 생긴 인형과 장난감에 정신이 팔려 혹시라도 거실의 촛불들을 끄는 것을 깜빡할까 봐 천장에 달린 램프 불만 남겨두고 불을 모두 껐다. 다른 조명들이 꺼지자 램프 빛에 비친 방이 한층 은은하고 아늑하게 느껴졌다.

"너무 늦게까지 놀지는 말아라. 그러다가 내일 늦잠 잘라."

어머니는 그렇게 말하고는 침실로 갔다.

혼자 남은 마리는 탁자로 가서 줄곧 품에 안고 있었던 호두까기 인형을 서둘러 내려놓았다. 아까부터 마음이 쓰였지만 이상하게 어머니 앞에서는 꺼내놓고 싶지가 않았다. 호두까기 인형을 조심스럽게 내려놓은 마리는 손수건을 풀고 상처를 살펴보았다. 인형은 몹시 창백한 얼굴로 다정하면서도 어딘가 슬퍼 보이는 미소를 짓고 있었다. 그 모습을 보니 마리의 마음이 너무나도 아팠다.

"아, 가엾은 호두까기님. 아까 다친 일로 프리츠 오빠를 너무 미워하지는 말아주세요. 매일 병정놀이를 하다 보니 거칠어져서 그렇지, 일부러 그런 건 아니랍니다. 사실은 오빠도 아주 착해요. 호두까기님이 다시 건강하고 행복해질 때까지 제가 잘 간호해줄게요. 빠진 이랑 턱은 드로셀마이어 대부님이 고쳐주실 거예요. 대부님은 뭐든지 잘…."

그 순간 호두까기 인형의 입가가 살짝 일그러지며 녹색 눈에 푸르스름한 빛이 일렁였다. 마리는 깜짝 놀라 인형의 얼굴을 퍼뜩 다시 살펴보았다. 그러나 눈에 들어오는 것은 인형의 변함없는 정직한 얼굴과 슬퍼 보이는 미소뿐이었다.

생각해보니 창틈으로 들어온 바람에 램프가 흔들려 호두까기의 얼굴이 잠시 이상하게 보였던 것 같았다.

"괜히 깜짝 놀랐네. 나무 인형이 얼굴을 찡그릴 수 있다고 생각하다니, 나도 참 바보 같아. 잠깐 놀라긴 했지만 난 호두까기 인형이 정말 좋아. 우스꽝스럽게 생겼지만 심성도 고와 보이고. 내가 잘 돌봐줘야지."

마리는 호두까기 인형을 다시 안아 들고는 장식장으로 갔다. 그러고는 그 앞에 쪼그리고 앉아 맨 아래 칸 침대에 누워 있는 클라르헨 인형에게 말을 걸었다.

"클라르헨 아가씨, 부탁이 있어요. 부상을 당한 가엾은 호두까기에게 침대를 양보하고 잠시 소파에서 생활해주면 안될까요? 탐스럽고 발그레한 두 뺨을 보면 아가씨는 아주 건강한 것 같으니 부디 이해해주세요. 소파도 나쁘지 않아요. 인형들 중에도 이렇게 우아하고 푹신푹신한 소파를 가진 인형은 별로 없을 거예요."

크리스마스를 맞아 화려하게 단장한 클라르헨 아가씨는 무척 고상하고 예뻤다. 하지만 침대를 양보해달라는 말에 마음이 상했는지 새침한 얼굴로 아무 말도 하지 않았다.

"생각해보니 내가 클라르헨 아가씨에게 이렇게까지 예

의를 차릴 필요는 없는 것 같아."

마리는 혼잣말하며 클라르헨을 소파로 옮긴 후 침대를 끌어당겨 호두까기 인형을 조심스럽게 눕혔다. 그러고는 허리에 묶는 리본을 풀어 호두까기 인형의 다친 턱에 다시 감아주고는 이불을 코 바로 아래까지 끌어올려 덮어주었다.

"쌀쌀맞은 클라르헨 아가씨랑 같은 곳에 놓아둘 수는 없지."

마리는 호두까기가 누운 침대를 꺼내 바로 위 칸으로 옮겼다. 이로써 호두까기는 프리츠의 경기병들이 주둔 중인 아름다운 마을 바로 옆에 머물게 되었다.

그런데 마리가 장식장 문을 닫고 자기 방으로 향하려던 그 순간, 갑자기 이상한 소리가 들렸다. 이게 대체 무슨 소리인지! 난로 뒤에서, 의자 뒤에서, 장식장 뒤에서, 거실 곳곳에서 뭔가가 바스락거리며 소곤대는 소리가 들려왔다.

벽시계는 정각을 울릴 준비를 하는지 기계장치가 돌아가는 윙윙 소리를 냈지만 이상하게 종을 울리지는 않았다. 마리는 시계가 있는 쪽을 바라보았다. 이럴 수가! 벽시계 위에는 금박을 입힌 부엉이 한 마리가 앉아 있었다. 부엉이는 굽은 부리가 달린 고양이 같은 얼굴을 쭉 내밀고는 커다란 날개를 길게 늘어뜨려 시계 앞면을 완전히 감싸고 있었다. 똑딱거리는 시계 소리가 점점 커지더니 마침내 나직한 노랫소리로 바뀌었다.

똑, 딱, 똑, 딱
오래된 시계야 소리를 낮추렴
생쥐 왕의 귀는 아주 밝단다
윙윙, 댕댕
노래를 부르렴, 오래된 노래를
작은 종이 울리면, 작은 종이 울리면
생쥐 왕의 시간도 끝이 난단다

노래가 끝나자 시계는 숨죽인 소리로 '댕댕' 하며 열두 번의 종을 울렸다.

겁에 질린 마리는 막 거실 밖으로 도망치려던 찰나, 시계 위에 앉아 있는 것이 금색 날개를 늘어뜨린 부엉이가 아닌 노란 외투 자락을 늘어뜨린 드로셀마이어 대부라는 것을 깨달았다. 여전히 무서웠지만, 마리는 정신을 차리고 울먹이는 목소리로 물었다.

"드로셀마이어 대부님! 대체 그 위에서 뭘 하고 계시는 거예요? 무서우니까 얼른 내려오세요. 절 그렇게 놀리시다니, 대부님은 정말 나빠요."

하지만 드로셀마이어는 꿈쩍도 하지 않았다. 곧이어 뭔가가 삐걱대는 소리와 함께 찍찍 소리가 사방에서 들려왔다. 벽 뒤에서는 수천 개의 작은 발들이 돌아다니는 소리가 났고, 마룻바닥 틈새로는 수천 개의 작은 불빛이 보였다. 아니, 그것은 사실 작은 불빛이 아니었다. 무수한 불빛인 줄 알았던 그것은 다름 아닌 번뜩이는 작은 눈들이었다. 다음 순간, 마리의 눈에는 온 사방에서 비집고 나온 생쥐들이 거실을 가득 메우는 모습이 들어왔다. 순식간에 거실을 채운 생쥐들은 이리저리 기어 다니는가 싶더니 마침내 줄을 맞춰 정렬하기 시작했다. 그 모습이 마치 프리츠가 병정놀이를 할 때 군인들을 줄지어 세워둔 모습 같았다. 마리는 언제 겁에 질렸었냐는 듯 그 모습을 재미있게 바라보았다. 다른 아이들과 달리 쥐를 무서워하지 않았기 때문이다. 그런데 그 순간 길고 날카로운 울음소리가 울려 퍼졌고, 마리는 다시 등이 오싹해지는 공포를 느꼈다.

마리의 눈앞에는 어떤 광경이 펼쳐졌을까?

프리츠라는 이름을 가진 독자들도 한번 같이 상상해보면 좋겠다. 마리의 오빠이자 장난감 병정들의 용맹한 작전 사령관인 프리츠라고 해도 마리가 본 그것과 맞닥뜨렸다면 그 자리에서 줄행랑치고 말았을 것이다. 그것으로도 모자라 당장 침대로 달려가 이불을 머리끝까지 뒤집어쓰고 덜덜 떨었을지도 모른다.

하지만 가엾은 마리는 도망칠 수도 없었다. 발 바로 앞의 바닥이 갈라지기 시작했기 때문이다. 마치 지하에서 뭔가가 솟아오르는 것처럼 바닥이 갈라지며 모래와 석회, 벽돌 조각이 사방으로 튀었다. 갈라진 틈에서는 일곱 개의 머리에 일곱 개의 번쩍이는 왕관을 쓴 무시무시한 생쥐 왕의 머리가 '쉿쉿' 소리를 내며 비집고 나왔다. 마침내 머리 일곱 개를 받치는 목과 생쥐 왕의 몸뚱이까지 모두 밖으로 빠져나왔다. 밖으로 나온 생쥐 왕은 생쥐 부대를 호령하듯 날카로운 울음소리를 세 번 울렸다. 이 소리를 들은 생쥐부대는 열을 맞추어 마리가 서 있는 장식장 쪽으로 행군하기 시작했다.

겁에 질린 마리의 심장이 격하게 뛰기 시작했다. 이러다 심장이 터져서 죽는 게 아닌가 하는 생각이 들 정도였다.

거기다 몸속의 피는 모두 얼어붙은 것 같았다. 마리는 반쯤 넋이 나간 채 자기도 모르게 뒷걸음질을 쳤다. 등 뒤에서 뭔가가 깨지는 소리가 났다. 마리의 팔꿈치에 부딪힌 장식장의 유리가 깨진 것이다. 유리가 바닥으로 떨어지며 산산조각이 났다. 왼팔에서 날카로운 통증이 느껴졌지만, 격하게 뛰던 심장은 한결 편안해진 것 같았다. 어느새 주변은 조용해졌고, 찍찍거리는 소리도 더는 들리지 않았다. 쥐들이 정말 사라졌는지 직접 확인해볼 용기는 나지 않았지만, 아마 유리 깨지는 소리에 놀라서 흩어져버린 것 같았다.

그런데 어찌 된 일인지 이번에는 등 뒤의 장식장에서 웅성거리는 소리가 들렸다. 곧 등 뒤의 목소리들이 외쳤다.

기상, 기상!
전투태세를 갖추라!
전투는 오늘 밤이다!
모두 일어나 싸우자!

그 순간 아름답고 영롱한 방울 소리가 울렸다.
"아, 내 방울 장난감 소리잖아."

마리는 신이 나서 얼른 자리에서 일어나 소리가 난 쪽을 바라보았다. 장식장에는 아름다운 조명이 들어와 있었고, 그 안에 놓인 장난감들은 모두 일어나 있었다. 겁에 질려 어쩔 줄 모르고 우왕좌왕하는 인형들의 모습도 눈에 들어왔다. 그 순간 호두까기 인형이 이불을 젖히고 벌떡 일어나며 큰 소리로 외쳤다.

찍! 찍! 찍!
멍청한 생쥐 놈들!
찍! 찍! 찍!
못 말리는 생쥐 놈들!

호두까기 인형은 조그만 칼을 뽑아 휘두르며 우렁찬 목소리로 외쳤다.

"친애하는 부하들이여! 나의 친구와 형제들이여! 이 험난한 전투에서 나와 함께 싸워주겠소?"

호두까기의 말이 끝나기가 무섭게 스카라무슈* 세 명과 판탈로네** 한 명, 굴뚝 청소부 네 명, 치터*** 연주자 두 명, 북 치는 병사 한 명이 앞으로 나서며 씩씩하게 답했다.

“예, 대장님! 변치 않는 충성을 맹세합니다! 죽음도, 승리도, 전투도 함께하겠습니다!”

열의에 찬 호두까기 인형이 위험을 무릅쓰고 높은 장식장에서 뛰어내리자 부하들도 함께 뛰어내렸다. 부하 인형들은 속이 솜과 겨로 채워진 데다 비단과 두툼한 천으로 만든 옷을 걸친 덕에 양털을 채운 주머니처럼 전혀 다치지 않고 바닥에 착지할 수 있었다. 하지만 보리수나무를 깎아서 만든 듯 뻣뻣하고 딱딱한 호두까기 인형은 사정이 달랐다. 60센티미터 아래의 바닥으로 그냥 떨어졌다가는 팔다리가 부러질 수도 있는 상황이었다. 다행히도 호두까기 인형이 뛰어내리던 순간, 바로 아래 칸의 소파에 앉아 있던 클라르헨 아가씨가 벌떡 일어나 부드럽고 푹신한 두 팔로 받아주었다.

“아, 마음씨 고운 클라르헨 아가씨.” 마리가 훌쩍이며 말했다. “아까는 제가 아가씨를 오해한 거군요. 아가씨라면

* 프랑스와 이탈리아의 즉흥극에 나오는 어릿광대로, 늘 기타를 들고 다니며 허풍이 심함.
** 이탈리아 가면극의 등장인물로, 구두쇠에 의심이 많음.
*** 현악기의 일종

내가 청하지 않아도 호두까기 인형에게 침대를 내주었을 텐데, 오해해서 미안해요."

커다란 클라르헨 아가씨는 작은 호두까기 인형을 부드러운 품에 안은 채 속삭였다.

"호두까기님, 부상당한 몸으로 이런 위험한 전투를 이끄는 것은 무리예요. 보세요. 용맹스러운 부하들이 승리를 확신하며 속속 모여들어 전투 준비를 하고 있잖아요. 스카라무슈, 판탈로네, 굴뚝 청소부, 치터 연주자, 북 치는 병사는 벌써 저 아래에 모여 전열을 정비하고 있어요. 저와 같은 칸에서 생활하는 여러 장식 인형*들도 전투에 나설 준비로 온통 들떠 있답니다. 그러니 그냥 제 품에서 쉬세요. 제 깃털 달린 모자챙 위에 올라가서 부하들이 승리를 거두는 모습을 지켜보셔도 좋고요."

그러나 호두까기 인형은 발버둥을 심하게 치며 내려달라고 했고, 클라르헨은 결국 호두까기를 놓아주었다. 바닥에 내려선 호두까기 인형은 정중하게 한쪽 무릎을 꿇으며

* 주로 지역 기념품으로 판매되는 작은 장식 인형을 의미하며, 대개 무엇인지 설명하는 작은 명판이 달려 있다.

클라르헨에게 말했다.

"경애하는 클라르헨 아가씨, 전투 중에도 아가씨의 친절과 호의를 잊지 않겠습니다."

그 말을 들은 클라르헨은 몸을 깊이 숙여 자신보다 훨씬 작은 호두까기의 두 팔을 잡고 부드럽게 일으켜 세웠다. 그러고는 허리에 묶고 있던 화려한 장식 띠를 재빨리 풀어 호두까기의 어깨에 둘러주려 했다. 호두까기 인형은 두 발짝 뒤로 물러나 가슴에 손을 얹고 진지하고 정중한 목소리로 말했다.

"아가씨의 호의는 제게 과분합니다. 게다가 저는…."

호두까기 인형은 말을 멈추고는 한숨을 내쉬었다. 그러고는 마리가 동여매준 리본을 풀어 입을 맞추고는 장교들의 장식처럼 제복 위에 둘렀다. 호두까기 인형은 칼집에서 뽑은 칼을 용감하게 휘두르며 작은 새처럼 날렵한 움직임으로 장식장 턱을 넘어 거실 바닥으로 내려갔다.

눈치가 빠른 독자라면 아마도 벌써 눈치챘을 것이다. 호두까기 인형이 살아 움직이기 전부터 마리가 보여준 아낌없는 애정을 이미 모두 느끼고 있었다는 사실을 말이다. 마리의 다정한 마음을 느낀 호두까기 인형은 클라르헨의 화려한 장식 띠를 받을 수 없었다. 충직한 호두까기 인형은 마리의 소박한 리본이 훨씬 더 마음에 들었다.

그건 그렇고 장식장을 떠난 호두까기는 어떻게 되었을까? 인형이 바닥에 내려서자마자 찍찍거리는 소리가 다시 들려오기 시작했다. 거실의 커다란 탁자 아래에는 수를 헤아릴 수 없이 많은 생쥐 떼가 모여 있었고, 그 뒤에는 머리가 일곱 개 달린 무시무시한 생쥐 왕이 버티고 서 있었다. 자, 이제부터 어떤 일이 일어날까!

5장

전투

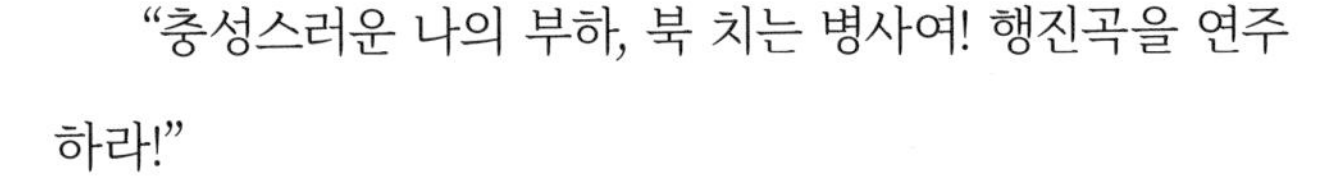

"충성스러운 나의 부하, 북 치는 병사여! 행진곡을 연주하라!"

호두까기 인형이 우렁찬 목소리로 외치자, 북 치는 병사는 멋들어진 솜씨로 북을 치기 시작했다. 둥둥 울리는 커다란 북소리에 장식장의 유리창이 덜덜 떨리더니 안쪽에서 뭔가가 덜그럭거리는 소리가 들려왔다. 마리는 장식장 안을 살펴보았다. 놀랍게도 프리츠의 병정놀이 상자 안에 들어 있던 병정들이 상자의 뚜껑을 힘차게 들어 올리고 있었다. 뚜껑을 열고 상자 밖으로 나온 병사들은 장식장 아래 칸으로 뛰어내리더니 다시 재빨리 전열을 갖췄다.

호두까기 인형은 전열 사이사이를 누비며 준비가 덜 된 병사들을 다그쳤다.

"아직도 꾸물대는 놈이 있구나! 속히 전열을 갖추라!"

병사들을 호령한 호두까기 인형은 판탈로네 인형에게 성큼 다가섰다. 판탈로네는 전투를 앞두고 긴장한 듯 조금 창백해진 얼굴로 긴 턱을 떨고 있었다. 호두까기 인형이 판탈로네에게 엄숙한 목소리로 말했다.

"판탈로네 장군, 귀관의 용맹함과 노련함에 대해서는 익히 들어 알고 있소. 지금 우리에게는 빠른 눈, 그리고 그보다 더 빠른 판단력이 필요하오. 귀관에게 기병대와 포병대의 지휘를 맡기겠소. 귀관은 다리가 길어 말을 타지 않아도 기병들과 함께 달릴 수 있겠군. 자, 이제 출발하시오!"

판탈로네는 길고 가는 손가락을 입술에 대고 날카로운 휘파람 소리를 냈다. 길게 울리는 날카로운 휘파람 소리는 마치 나팔 백 개가 한꺼번에 울리는 소리 같았다. 장식장 안쪽에서 히힝 하는 말 울음소리와 말발굽 소리가 들리더니 중기병과 용기병*, 그리고 이번 크리스마스에 새로 영입된

* 소총을 장비한 기병.

번쩍번쩍한 경기병 부대가 거실 바닥에 모였다.

기병대는 연대별로 깃발을 휘날리며 행진곡에 맞춰 호두까기 인형 앞을 차례로 지나더니 신속히 넓은 대열로 정렬했다.

곧 포병대가 덜컹거리며 대포를 끌고 와 기병대 뒤에 정렬하더니 굉음을 내며 대포를 쏘기 시작했다. 포병대가 쏜 콩알만 한 설탕 포탄이 생쥐 떼의 머리 위에서 펑펑 터졌다. 설탕 포탄은 직접적인 타격을 주지는 못했지만 하얀 가루를 자욱이 일으키며 생쥐들의 사기를 꺾어놓았다. 어머니의 장식장 발판 위에 자리를 잡은 중포병대의 활약도 눈부셨다. 중포병대가 생쥐 떼를 향해 페퍼너트 과자*를 연거푸 쏘아대자 생쥐들이 픽픽 쓰러졌다.

하지만 생쥐들은 점점 더 가까이 다가왔다. 호두까기 인형의 부대에 가까이 접근한 몇몇은 대포를 빼앗기까지 했다. 여기저기서 포성이 울렸다. 곳곳에 피어오르는 연기와 자욱한 먼지 때문에 마리는 전투의 진행 상황을 파악할 수가 없었다. 마리가 알 수 있는 것은 그저 양쪽이 치열하게 싸우고

* 독일과 덴마크 등에서 크리스마스 때 즐겨먹는 땅콩 크기의 단단한 과자로, 각종 향신료가 들어감.

있다는 것과 어느 쪽도 승리를 장담하기 어렵다는 것 정도였다.

생쥐들의 수는 점점 불어났다. 생쥐들은 작은 은색 구슬을 무기 삼아 공격해왔는데, 조준이 어찌나 정확한지 저 멀리에서 장식장의 안쪽까지 구슬을 던져넣는 놈들도 있었다. 클라르헨과 트루트헨은 두 손을 꼭 움켜쥔 채 겁에 질려 우왕좌왕했다.

"인형들 중에서도 최고 미인인 내가 이렇게 꽃다운 나이에 죽어야 하다니!" 클라르헨이 한탄했다.

"내가 그동안 스스로를 얼마나 잘 가꿔왔는데. 결국 이렇게 집 안에서 죽게 되는 거야?" 트루트헨도 따라 외쳤다.

둘은 서로를 얼싸안고 온 거실이 떠나가라 엉엉 울었다. 그 소리가 어찌나 컸던지 전투가 한창 진행 중인 난리 통에도 인형들의 울음소리가 들릴 지경이었다.

이 책을 읽고 있는 독자들이 거실에 펼쳐진 소란스러운 광경을 상상이나 할 수 있을지 모르겠다. 대포가 쾅쾅 터지고 총알이 피융피융 날아가는 가운데 생쥐들이 찍찍거리고 생쥐 왕은 날카로운 울음소리를 냈다. 호두까기 인형은 우렁찬 목소리로 병사들을 호령하며 포병대 사이를 분주히 오갔다.

판탈로네 장군은 기병대를 민첩하게 운용하며 혁혁한 공을 세웠다. 그러나 반짝이는 새 제복을 입은 프리츠의 경기병들이 생쥐 포병대에 밀리며 상황이 역전되었다. 생쥐 포병대는 지독한 악취를 풍기는 이상한 포탄을 쏘아댔는데, 포탄에 맞아 새 옷에 얼룩이 생길까 봐 기병들이 몸을 사리기 시작했기 때문이다. 상황을 파악한 판탈로네는 기병대를 왼쪽으로 퇴각시켰다. 그런데 우렁찬 목소리로 “기병대, 좌향좌!”를 외치는 순간 판탈로네 자신도 그만 어처구니없이 함께 좌향좌를 해버렸다. 지휘관이 왼쪽으로 몸을 돌리는 모습을 본 중기병과 용기병이 덩달아 왼쪽으로 선회했고, 결국 기병대는 모두 장식장 안으로 퇴각하고 말았다.

기병대가 모두 퇴각해버리자 발판 위의 포병대는 적에게 그대로 노출되었다. 얼마 지나지 않아 흉측한 생쥐 떼가 맹렬하게 달려들어 대포와 포병대가 올라가 있던 발판을 통째로 쓰러뜨려 버렸다.

그 광경을 본 호두까기 인형은 심각한 표정으로 병사들에게 퇴각 명령을 내렸다. 병정놀이를 좋아하는 프리츠처럼 전투를 지휘해본 경험이 있는 독자라면 이것이 도망치라는 말이나 다름없다는 사실을 잘 알 것이다. 아마 이 부분에서 많은 독자들이 마리가 아끼는 작은 호두까기 인형의 불행에 슬퍼하고 있을지도 모르겠다.

그렇다면 잠시 이 슬픈 광경에서 눈을 돌려 호두까기 인형의 왼쪽에 포진해 있는 부대를 살펴보자. 이 부대는 여전히 전투에 굳건하게 임하고 있었으며, 지휘관도 병사들도 승리의 희망을 잃지 않고 있었다. 전투가 한창인 가운데, 서랍장 밑에서 생쥐 기병대가 살금살금 기어 나왔다. 생쥐 떼는 요란하게 찍찍거리며 왼쪽 부대에 달려들었지만 병사들은 격렬히 맞서 싸웠다.

지형적 어려움, 그러니까 장식장 턱 때문에 진격 속도가 느렸던 장식 인형들도 어느새 중국 황제 인형 두 명의 지휘 하에 무사히 턱을 넘어 거실 바닥에 정사각형의 전투대열로 정렬해 있었다. 장식 인형 군단의 구성은 다채롭기 그지없었다. 정원사, 티롤 사람, 몽골인, 이발사, 어릿광대 할리퀸, 큐피드, 사자, 호랑이, 원숭이, 유인원, 가릴 것 없이 모두 지치지도 않고 침착하면서도 용감하게 생쥐들과 싸워나갔다. 스파르타인 못지않게 용맹한 장식 인형 군단의 활약 덕에 곧 호두까기 인형의 부대가 승기를 잡을 수 있을 것처럼 보였다. 그러나 그 순간 생쥐 기병대의 지휘관이 앞으로 치고 나와 중국 황제 한 명의 머리를 물어뜯어 버렸고, 쓰러지는 황제의 몸에 몽골인 두 명과 원숭이가 깔려서 죽고 말았다. 전열이 무너진 틈으로 생쥐들이 파고들어 장식 인형들을 사납게 물어뜯었다. 그런데 일방적인 싸움으로 보였던 이 공격은 생쥐 부대에도 뜻밖의 타격을 안겨주었다. 장식 인형에 붙어 있던 딱딱한 명판이 목에 박혀 즉사한 생쥐도 많았기 때문이다.

하지만 그 정도의 작은 타격으로는 전세를 뒤집을 수 없었다. 한번 퇴각하기 시작한 호두까기 인형의 부대는 점점 뒤로 밀리며 많은 병사를 잃어갔다. 결국 장식장 바로 앞까지 밀려났을 때 호두까기 인형의 곁에 남아 있는 병사는 소수에 불과했다.

"예비 병력을 출격시켜라! 판탈로네여, 스카라무슈여, 북 치는 병사여, 모두 어디에 있는가?"

호두까기 인형은 장식장에서 병력이 충원되기를 기대하며 큰 소리로 외쳤다.

이 소리를 들은 토룬산 생강빵 인형들이 밖으로 달려 나왔다. 황금빛 얼굴에 투구를 쓴 모습은 그럴싸했지만 칼

싸움 실력은 너무나도 형편없었다. 결국 생강빵 인형들은 적군은 하나도 쓰러뜨리지 못한 채 애꿎은 호두까기 인형의 모자만 쳐서 떨어뜨리고 말았다. 곧 생쥐 저격수들이 달려들어 생강빵 인형들의 다리를 물어뜯었고, 중심을 잃고 넘어지는 생강빵 인형에 깔려 아군 몇 명이 덩달아 희생되고 말았다.

적군에 포위당한 호두까기 인형은 절체절명의 위기에 빠졌다. 장식장 안으로 성큼 뛰어오르고 싶었지만 다리가 너무 짧았다. 클라르헨과 트루트헨은 이미 기절해 호두까기 인형을 도와줄 수 없었다. 말을 탄 경기병과 용기병들은 호두까기 인형 앞을 지나쳐 장식장으로 뛰어들었다.

"말을 다오, 말을! 말을 주는 자에게 내 왕국이라도 주겠다."*

그 순간, 생쥐 척후병 두 마리가 양쪽에서 호두까기 인형의 나무 망토를 잡았다. 그 모습을 본 생쥐 왕이 일곱 개의 목구멍으로 의기양양하게 찍찍거리며 호두까기 인형을 향해 달려왔다.

* 셰익스피어의 희곡 〈리처드 3세〉에 나오는 유명한 대사.

“어떡해! 내 불쌍한 호두까기 인형이…!”

마리가 다급하게 외쳤다. 더 이상 지켜보고만 있을 수는 없었다. 마리는 자기도 모르게 왼발에 신고 있던 실내화를 벗어서는 생쥐 왕에게 힘껏 던졌다. 그 순간 갑자기 의식이 흐려졌다. 마리는 오른팔에 찌르는 듯한 통증을 느끼며 정신을 잃고 쓰러졌다.

6장

앓아누운 마리

죽은 듯 잠들어 있던 마리가 깨어났다. 아이는 주위를 둘러보더니 지금 누워 있는 곳이 자기 침대라는 것을 깨달았다. 성에가 낀 창문을 통해 밝은 햇살이 쏟아져 들어오고 있었다. 침대 옆에는 처음 보는 사람이 앉아 있었다. 그러나 마리는 곧 그 사람이 외과 의사 벤델슈테른 선생님이라는 것을 깨달았다.

“아이가 깨어났습니다.” 벤델슈테른 선생이 나직한 목소리로 말하자 마리의 어머니가 다가와 걱정스러운 눈길로 마리를 이리저리 살펴보았다.

마리가 어머니를 보더니 다짜고짜 물었다. “엄마! 흉측한 생쥐들은 모두 도망갔나요? 호두까기 인형은 무사한가요?"

"마리, 대체 무슨 말을 하는 거니! 생쥐가 네 호두까기 인형과 무슨 상관이 있다고 그래. 이 말썽꾸러기 같으니. 다들 너 때문에 얼마나 걱정했는지 아니? 엄마 아빠 말을 안 듣고 멋대로 굴면 결국 이렇게 다치는 거야. 어제 어떻게 된 건지 엄마가 한번 맞춰볼까? 마리 너 어제 늦게까지 인형놀이를 하다가 장식장 앞에서 꾸벅꾸벅 졸았지? 그 순간 평소에는 보이지 않던 생쥐 한 마리가 갑자기 튀어나와서 널 깜짝 놀라게 했을 거야. 겁에 질린 네가 허우적거리다 팔꿈치로 장식장 유리문을 깼고, 그 바람에 팔을 깊게 베인 거지. 팔에 박혀 있던 유리 조각은 다행히 여기 계신 벤델슈테른 선생님이 모두 제거해주셨어. 그래도 유리 조각이 혈관을 피한 게 천만다행이라고 하시는구나. 만약 그랬으면 팔을 영영 못 쓰게 되거나 피를 너무 많이 흘려서 목숨이 위험했을 수도 있대. 엄마가 자정 무렵에 잠깐 잠이 깼기에 망정이지! 잠이 깬 김에 네가 잘 자고 있나 보러 네 방에 갔는데 침대에 없어서 거실로 갔거든. 그런데 네가 피를 철철 흘리며 장식장 앞에 기절해 있는 거야! 그 모습을 보고 엄마도 기절할

뻔했단다. 네 주위에는 프리츠의 병정놀이 병사들이며 온갖 장난감들에 장식 인형, 생강빵 인형들까지 어지럽게 흩어져 있었어. 호두까기 인형은 피가 흐르는 네 팔 위에 있었고, 네 왼발에서 벗겨진 실내화가 근처에 굴러다니고 있더구나."

순간 간밤의 기억이 돌아온 마리가 외쳤다.

"엄마! 그건 장난감들과 생쥐들이 벌인 치열한 전투의 흔적이에요! 호두까기 인형이 장난감 부대를 이끌고 용감하게 싸우고 있었는데 생쥐들이 몰려와서 호두까기 인형을 잡아가려고 했어요. 그래서 제가 실내화를 벗어서 생쥐들한테 던졌는데, 그다음에는 어떻게 됐는지 기억이 안 나요."

대화를 듣고 있던 벤델슈테른 선생은 일단 아이에게 맞춰주라는 듯 마리의 어머니에게 눈짓했다. 이를 본 어머니가 아이에게 부드럽게 말했다.

"그랬구나, 우리 딸. 어쨌든 너무 걱정하지 말고 편히 쉬렴. 이제 생쥐들은 모두 달아났고 호두까기 인형도 장식장 안에서 무사히 잘 쉬고 있으니까."

잠시 후 마리의 아버지가 방으로 들어와 벤델슈테른 선생과 한참 이야기를 나누더니 마리의 맥을 짚어보았다. 의사인 두 사람은 아무래도 상처 때문에 열이 좀 나는 것 같다는 이야기를 했다.

마리는 며칠 동안 약을 먹으며 침대에 누워서 지냈다. 팔이 조금 아팠지만 그 밖에 아프거나 불편한 곳은 없었다. 마리는 호두까기 인형이 무사히 탈출했다는 소식에 안도했다. 가끔은 꿈을 꾸듯 호두까기 인형의 목소리가 들려오는 것 같았다. 애절한 목소리는 이렇게 말하고 있었다.

"친애하는 마리 아가씨. 당신에게는 정말 큰 빚을 졌습니다. 그런데 염치없게도 더 큰 부탁을 드려야 할 것 같네요."

마리는 호두까기 인형의 부탁이 무엇일지 고민해보았지만, 아무리 생각해도 짐작되지 않았다.

마리는 팔을 다쳐 장난감을 가지고 놀 수 없었다. 심심해서 그림책을 읽으려고 하면 이상하게 그림들이 흐릿해지며 눈앞에서 둥둥 떠다니는 것 같아서 결국 책을 덮어야 했다. 시간을 보내는 게 지루하기 짝이 없었다. 마리는 온종일 날이 저물기만을 기다렸다. 저녁나절이 되면 어머니가 책을 읽어주기도 하고 재미있는 옛날이야기를 들려주기도 했기 때문이다.

마리의 어머니가 흥미진진한 파카딘 왕자 이야기*를 이

제 막 마친 참이었다. 문이 벌컥 열리며 드로셀마이어 대부가 들어왔다.

"마리가 다쳐서 아프다기에 보러 왔습니다."

노란 외투를 입은 드로셀마이어 대부를 보자 호두까기 인형 부대가 생쥐 부대에게 패하던 그날 밤의 기억이 마리에게 다시 돌아왔다. 마리는 자기도 모르게 드로셀마이어 대부에게 따지고 들었다.

"대부님은 정말 나쁜 분이에요. 그날 시계 위에 앉아 계시던 것, 제가 다 봤어요. 종이 울리지 못하게 일부러 외투 자락으로 시계를 가리신 거죠? 그 종만 울렸어도 생쥐들을 바로 쫓아버릴 수 있었을 텐데! 생쥐 왕을 불러내는 소리도 제가 다 들었어요. 왜 가엾은 호두까기 인형과 저를 도와주지 않으셨죠? 대부님은 정말 못됐어요! 제가 이렇게 아파서 누워 있는 것도 다 대부님 탓이에요!"

"마리, 너 지금 무슨 소리를 하는 거니!" 어머니는 깜짝 놀라 외쳤다.

* 스코틀랜드 출신의 프랑스 작가 앙투안 해밀턴이 쓴 동화로 호프만의 책에서 자주 언급된다. 《아라비안나이트》의 배경을 연상시키는 먼 이국에서 펼쳐지는 모험 이야기를 담고 있다.

그때 갑자기 드로셀마이어 대부가 이상한 표정을 지으며 귀에 거슬리는 쉰 목소리로 단조로운 노래를 읊조렸다.

소리 죽여 움직이는 시계추
울릴 수 없었지, 울릴 수 없었지
하지만 이제
크게 울리는 시계 종소리
댕 댕 댕 댕
인형 소녀야 겁내지 말아라
생쥐 왕은 이제 도망갔단다
올빼미가 금방 날아온단다
콕콕 콕콕
땡땡 땡땡
시계는 소리 죽여 윙윙
시계추도 소리 죽여 윙윙
댕그랑 댕그랑 윙윙

마리는 눈을 동그랗게 뜨고 드로셀마이어 대부를 바라보았다. 노래를 마친 드로셀마이어의 기이한 표정은 낯설었고, 그날따라 평소보다 더 흉측해 보이기까지 했다. 드로셀마이어는 노래를 부르는 내내 오른팔을 앞뒤로 흔들었는데, 그 모습이 마치 줄에 매달린 꼭두각시 인형처럼 부자연스러웠다. 어머니가 곁에 있고 어느샌가 슬쩍 방에 들어온 프리츠가 깔깔대며 웃음을 터뜨렸기에 망정이지, 하마터면 마리는 겁에 질려 비명을 지를 뻔했다.

"대부님, 오늘 정말 재미있으신데요?" 한참을 웃던 프리츠가 말했다. "방금 하신 팔 동작이 꼭 제가 옛날에 난로 뒤편으로 던져버린 점핑잭 인형* 이랑 똑같아요."

깔깔대며 웃는 프리츠와는 달리 어머니는 심각한 목소리로 물었다. "드로셀마이어 판사님, 정말 이상한 노래를 부르시네요. 그게 대체 무슨 노래죠?"

"허, 이런! 제가 만든 시계공의 노래인데 처음 들으신 건가요? 마리처럼 아파서 누워 있는 아이들에게 종종 불러주곤 한답니다."

이렇게 말한 드로셀마이어 대부는 갑자기 마리에게 바싹 다가앉아 작은 목소리로 속삭였다.

* 아래로 늘어진 끈을 잡아당기면 팔다리가 위아래로 움직이는 장난감.

"마리, 내가 어제 생쥐 왕의 눈알 열네 개를 뽑아버리지 않았다고 너무 화내지는 말려무나. 그건 불가능한 일이었단다. 대신 네가 아주 좋아할 만한 것을 가지고 왔지."

대부는 외투 주머니에 손을 넣더니 뜸을 들이며 아주 천천히 뭔가를 꺼냈다. 바로 호두까기 인형이었다. 부러졌던 이도, 덜거덕거리던 턱도 모두 잘 고쳐져 있었다. 꺅꺅거리며 기뻐하는 마리에게 어머니가 웃으며 말했다.

"그것 보렴, 마리. 드로셀마이어 대부님이 네 호두까기 인형을 얼마나 아끼시는데."

"마리, 그건 그렇고 말이다." 드로셀마이어 대부가 말했다. "너도 알다시피 호두까기 인형이 외모도 풍채도 그리 훌륭하지는 않잖니. 그런데 호두까기 가문의 외모가 처음부터 그렇게 흉했던 것은 아니란다. 혹시 궁금하다면 그 가문의 후손들이 추한 외모를 가지게 된 사연을 들려주마. 혹시 피를리파트 공주와 마우제링크스 부인, 솜씨 좋은 시계공 이야기를 알고 있니?"

"근데 대부님." 프리츠가 불쑥 끼어들었다. "호두까기 인형의 이도 잘 붙여주시고 턱도 잘 맞춰주셨는데, 칼은 어디 갔어요? 칼은 왜 챙겨주시지 않은 거예요?"

“정말이지 너는 바라는 게 끝이 없구나.” 드로셀마이어 대부가 언짢아하며 말했다. “왜 그렇게 불만이 많니? 몸을 고쳐줬으면 됐지, 내가 칼까지 구해다 바쳐야 하니? 필요하면 자기가 알아서 구하겠지.”

“그건 그러네요.” 프리츠가 금방 수긍했다. “능력 있는 군인이라면 무기 정도는 스스로 구할 수 있겠죠.”

드로셀마이어 대부는 다시 마리를 바라보며 물었다. “마리, 아까 내가 이야기한 피를리파트 공주 이야기를 들어본 적이 있니?”

“아니요, 대부님.” 마리가 답했다. “모르는 이야기에요. 듣고 싶어요!”

대화를 듣고 있던 스탈바움 부인이 걱정스럽게 물었다. “판사님이 가끔 들려주시는 다른 이야기들처럼 무서운 이야기는 아니겠죠?”

“안심하십시오, 부인. 오히려 정반대거든요. 제가 지금부터 들려드릴 이야기는 아주 재미있는 이야기랍니다.”

“어서 듣고 싶어요! 빨리 이야기해주세요, 대부님!” 마리와 프리츠가 입을 모아 외쳤다.

드로셀마이어 대부가 이야기를 시작했다.

7장

단단한 호두 이야기

피를리파트의 어머니는 왕의 아내, 즉 왕비였단다. 이 말인즉슨 피를리파트가 공주의 신분으로 태어났다는 이야기지. 왕은 요람에 누운 작고 귀여운 아기 공주를 보고 그야말로 기뻐서 어쩔 줄을 몰라 했어. 왕은 기쁨에 차 환호성을 지르며 덩실덩실 춤을 추다가 한 발로 껑충껑충 뛰며 이렇게 외쳤지.

"경사로다, 경사야! 세상에서 가장 아름다운 아기로구나! 여보게들, 우리 피를리파트보다 예쁜 아기를 본 적이 있는가?"

질문을 받은 대신과 장군, 신하들은 왕과 마찬가지로 한 발로 껑충껑충 뛰며 이렇게 답했지.

"없습니다. 없고말고요!"

실로 피를리파트 공주는 세상에서 제일 어여쁜 아기였어. 발그레한 얼굴은 백합처럼 하얀 실과 장미처럼 붉은 실을 엮어 짠 비단처럼 고왔고, 파란 두 눈동자는 영롱하게 반짝거렸지. 귀엽게 곱슬 거리는 금발도 참 잘 어울렸단다. 그런데 피를리파트 공주는 다른 아기들과는 달리 처음부터 윗니와 아랫니가 모두 난 채로 태어났어. 자그마한 진주 같은 치아 두 줄이 가지런히 자리 잡고 있었지. 공주는 태어난 지 두 시간 만에 왕실 재상의 손가락을 깨물어버렸어. 얼굴을 자세히 보려고 가까이 다가온 재상의 손을 콱 물어버린 거지. 깜짝 놀란 재상은 "아이쿠야!"라고 외쳤어. 재상이 "아이쿠야!"가 아니라 "아야!"나 "아이고!"라고 외쳤다는 주장도 일부에서 제기됐지만, 진실이 무엇인지는 아직도 밝혀지지 않았단다. 어쨌든 요지는 피를리파트 공주가 재상의 손가락을 물었다는 거야. 공주에게 온통 빠져 있던 왕국 사람들은 이 사건을 전해 듣고 공주가 천사처럼 예쁘기만 한 게 아니라 영특함과 재치까지 갖췄다며 더욱 칭송했지.

공주의 탄생에 왕국 전체가 들떠 있었지만, 어찌 된 이유인지 왕비만은 근심이 가득해 보였어. 무엇이 불안한지 안절부절못하며 공주의 요람을 철통같이 지키게 했지. 출입문에는 무장한 근위병을 세우고 공주의 곁에는 수석 유모 두 명을 상주시켰지만 그것으로도 부족했는지 밤이 되면 유모 여섯 명을 더 불러서 침대를 빙 둘러싸고 앉아 있게 했어. 게다가 정말 이상한 건 요람을 둘러싸고 앉은 여섯 유모의 무릎에 수고양이를 한 마리씩 앉혔다는 거야. 유모들은 고양이가 기분 좋게 가르랑거리는 소리를 계속 내도록 밤새 정성스럽게 쓰다듬어주었지.

왕비가 그런 명령을 내린 이유를 너희는 상상도 할 수 없을 거야. 나는 그 이유를 알고 있으니 지금부터 어떻게 된 일인지 알려주도록 하마.

왕은 가끔 연회를 개최해 이웃 나라의 멋진 왕들과 훌륭한 왕자들을 초대했어. 왕궁에서 열리는 연회는 늘 성대했지. 마상시합에 무도회에 즐거운 공연까지, 부족한 것이 없었어. 하지만 왕은 자신의 재력을 더 과시하고 싶었단다. 왕실 금고를 탈탈 털어서라도 더 특별한 뭔가를 내놓고 싶었지.

그런데 마침 왕실 수석 요리사가 반가운 소식을 전해왔어. 왕실 점성술사가 돼지 잡기에 적합한 날이 다가왔다고 말했다는 거야. 그 말을 들은 왕은 즉시 요리사에게 성대한 소시지 연회를 준비하라고 명했어. 그리고 마차를 타고 돌아다니며 이웃 나라 왕과 왕자들을 친히 방문했지. 초대하면서는 "그냥 간단히 수프나 한 그릇 하시지요"라고 말했어. 별일 아니라는 듯 초대해서는 성대한 연회로 깜짝 놀라게 하려는 심산이었던 거야.

초대를 마친 왕은 왕비에게 다정한 목소리로 말했어.

"사랑하는 부인, 내가 소시지를 얼마나 좋아하는지는 부인도 잘 알고 계시리라 믿소."

왕비는 왕이 무슨 말을 하려는지 알고 있었어. 언제나처럼 이번에도 소시지 만드는 중대한 작업을 왕비가 직접 담당해달라는 말이었지. 왕실 재무상은 즉시 금으로 된 커다란 소시지 솥과 은으로 된 스튜 냄비를 주방으로 보내왔어. 주방에서는 백단향 장작이 활활 타올랐고, 왕비는 다마스크*로 만든 앞치마를 두르고 소시지 만드는 작업에 들어갔단다. 곧 소시지에 들어갈 재료들이 황금 솥 안에서 보글보글 끓으며 맛있는 냄새가 주방을 가득 채웠지.

군침 도는 냄새가 집무실까지 풍기자 왕은 더 이상 못 참겠는지 대신들에게 "잠시 실례하겠소!"라고 외치고는 주방으로 달려갔어. 왕은 주방에 있던 왕비를 꼭 안아주고 나서 황금 지휘봉으로 소시지 재료들을 한번 휘휘 저은 후에야 다시 두근거리는 마음을 진정하고 집무실로 돌아올 수 있었지.

* 정교한 무늬를 넣은 고급 직물

이제 소시지에 넣을 돼지비계를 작은 네모로 잘라 은 석쇠에 구울 순서가 되었어. 비계를 굽는 것은 소시지 제작에서 아주 중요한 단계였지. 주방에는 준비를 돕던 시녀들이 모두 나가고 왕비만 남았어. 왕비가 왕에 대한 사랑과 존경을 담아 이 중요한 작업만큼은 혼자 하겠다고 말했기 때문이야. 그렇게 비계를 막 굽기 시작했는데 어디선가 가냘픈 목소리가 들려왔어.

"자매여, 내게도 구운 비계를 주세요. 당신은 왕비지요? 나도 여왕이랍니다. 먹고 싶어요. 비계를 주세요."

왕비는 목소리의 주인공이 마우제링크스 부인이라는 것을 알고 있었어. 마우제링크스 부인은 몇 년째 왕궁에 살며 자신이 왕의 친척이라 주장하고 다니는 쥐였단다. 또 자신이 마우졸리엔이라는 왕국의 주인이라며, 부뚜막 아래에는 커다란 궁궐도 있다고 자랑하고 다녔지.

왕비는 상냥하고 인정이 많은 사람이었어. 물론 마우제링크스 부인을 왕족이나 자매로 인정할 생각은 없었지만, 연회가 열리는 날이니만큼 맛있는 음식을 나눠주는 것도 괜찮겠다고 생각했지.

"그럼요, 드려야지요. 어서 이리로 오세요, 마우제링크스 부인."

마우제링크스 부인은 쪼르르 달려 나와 부뚜막 위로 폴짝 뛰어올랐어. 그리고 작은 앞발을 앞으로 내밀고는 왕비가 건네는 비계 조각을 하나, 또 하나 받아들었지. 그런데 마우제링크스 부인에게 비계를 주자 어디선가 부인의 일가친척들이 우르르 몰려나왔어. 말썽을 피우고 다니기로 유명한 일곱 아들도 어디선가 튀어나왔지. 부인의 일곱 아들이 쌓여 있는 돼지비계에 막무가내로 달려들었지만 왕비는 겁에 질려 쥐들을 쫓을 생각도 하지 못했어. 다행히 궁내대신*이 황급히 달려와 쥐들을 쫓은 덕분에 비계를 다 빼앗기지는 않았지만, 남은 비계는 맛있는 소시지를 만들기에는 턱없이 부족한 양이었단다. 왕비는 고민 끝에 왕실 수학자를 불러와 남은 비계를 최적의 양으로 분배해달라고 했어. 결국 비계를 아주 조금씩만 넣은 소시지가 완성되었지.

연회의 시작을 알리는 북소리와 나팔 소리가 울렸어. 화려한 옷을 입은 이웃 나라의 왕과 왕자들이 속속 도착했지. 눈부신 백마를 타고 온 이도 있었고, 반짝이는 수정 마차를 타고 온 이도 있었어. 왕은 예의를 갖춰 손님들을 환영한 후 황금으로 된 왕관을 쓰고 황금 지휘봉을 든 채 테이블의 상석에 자리를

* 왕궁 내의 모든 살림을 책임지는 대신

잡고 앉았어.

연회의 첫 코스는 간을 넣은 소시지였어. 그런데 소시지를 먹는 왕의 안색이 점점 창백해지는 것 아니겠니? 자꾸만 하늘을 올려다보며 한숨을 쉬는 모습이 마치 극심한 고통을 참고 있는 사람 같았지.

그다음에 이어진 선지 소시지 코스에서 왕은 의자에 기대앉아 얼굴을 두 손으로 가리고는 흐느끼기 시작했어. 그렇게 흐느끼던 왕이 점점 크게 오열하자 모두가 자리에서 벌떡 일어났지. 왕실 주치의가 헐레벌떡 달려와 맥을 짚어보았지만 증상을 파악할 수가 없었어. 왕은 그저 원인을 알 수 없는 깊은 절망에 빠진 듯 넋이 나가 아무 말도 하지 못했지.

코 밑에서 깃털을 태우는 등* 온갖 시도를 한 끝에 왕은 조금 정신을 차렸어. 그러고는 들릴 듯 말 듯 한 작은 목소리로 중얼거렸지.

"비계가… 비계가 너무 적구나."

왕이 그렇게 말하자 왕비가 눈물을 펑펑 흘리며 왕의 발아

* 옛날 서양에서는 기절한 사람의 정신이 돌아오게 할 때 깃털 태운 냄새를 맡게 했음.

래 무릎을 꿇었어.

“아, 가여운 나의 왕이시여! 얼마나 고통스러우셨습니까? 여기 당신의 발아래에 죄인이 있습니다. 저를 벌해주세요. 무거운 벌을 내려주세요. 마우제링크스 부인의 일가친척과 일곱 아들들이 비계를 먹어버려서…, 그래서 그만….”

왕비는 말을 끝맺지 못하고 갑자기 정신을 잃고 쓰러졌어.

“궁내대신! 이게 대체 어떻게 된 일인가!” 왕은 노발대발하며 외쳤지.

궁내대신은 주방에서 있었던 일을 소상하게 아뢰었어. 이야기를 다 들은 왕은 괘씸한 마우제링크스 부인과 그 일가친척에게 복수하기로 마음먹었지.

긴급회의가 소집되고 마우제링크스 부인에 대한 처벌과 재산 압류가 결정되었어. 하지만 왕은 마우제링크스 부인과 그 일가친척들이 언제 또 나타나 비계를 먹어치울지도 모른다는 생각에 불안을 떨칠 수가 없었지. 왕은 왕궁 시계제작자이자 연금술사인 한 사람에게 해결책을 마련하라고 명했어. 바로 크리스티안 엘리아스 드로셀마이어였지.

나와 이름이 똑같은 이 시계제작자는 왕궁에서 마우제링크스 부인과 그 가족을 단번에 쫓아내 버리겠다고 장담했어. 그러고는 구운 비계를 미끼로 쥐들을 꾀어낼 수 있는 정교한 장치를 여러 개 만들어 쥐들이 사는 곳 근처 여기저기에 놓아두었지.

약삭빠른 마우제링크스 부인은 시계제작자가 만든 장치에 걸려들지 않았어. 가족들에게도 장치를 조심하라고 수차례 경고했지. 하지만 귀에 못이 박이도록 이야기를 해도 부인의 가족들은 그 경고를 대수롭지 않게 여겼어. 결국 마우제링크스의 일곱 아들과 일가친척들은 먹음직스러운 구운 비계 냄새에 홀려 드로셀마이어의 장치에 하나둘씩 스스로 기어들어 가고 말았단다. 장치 안에 들어간 쥐가 비계를 한 입 베어 물면 덜컹하며 입구가 닫혔고, 사로잡힌 쥐들은 비계 만찬을 즐겼던 바로 그 주방으로 끌려가 비참한 최후를 맞이했어.

결국 마우제링크스 부인은 살아남은 몇 안 되는 동족을 이끌고 왕궁을 떠났어. 가슴속에는 슬픔과 절망, 분노가 가득했지. 왕궁의 모든 이들이 기뻐했지만, 마우제링크스 부인의 집요한 성격을 아는 왕비만은 마음을 놓을 수가 없었어. 일가친척에다 일곱 아들까지 잃은 마우제링크스 부인이 이대로 순순히 물러설 리가 없다는 것을 알았거든.

아니나 다를까, 어느 날 주방에서 왕이 좋아하는 송아지 허파 요리를 하고 있던 왕비의 눈앞에 마우제링크스 부인이 다시 모습을 드러냈어.

"네놈들 때문에 내 아들들과 일가친척들이 모조리 목숨을 잃었다. 언젠가 이 생쥐 여왕님이 나타나 네 딸을 물어뜯어 두 동강 내버릴 거야. 내 말 명심해!"

마우제링크스 부인은 이 말을 남기고 어디론가 사라진 뒤 다시 모습을 드러내지 않았어. 깜짝 놀란 왕비는 요리 중이던 송아지 허파를 부뚜막 안으로 떨어뜨리고 말았지. 마우제링크스 부인 때문에 왕이 좋아하는 요리를 망친 게 벌써 두 번째였어. 왕은 이 사실을 듣고 노발대발했단다.

"자 오늘은 여기까지만 할까? 나머지 이야기는 다음에 들려주마."

곰곰이 생각에 잠겨 이야기를 듣고 있던 마리는 이야기를 계속 들려달라고 졸랐다. 하지만 드로셀마이어 대부는 마리의 청을 들어주지 않고 자리에서 일어났다.

"뭐든 한 번에 너무 많이 하는 건 좋지 않단다. 내일 더 들려줄게."

"그런데 정말 쥐덫을 대부님이 발명한 거예요?" 막 문을 열고 나가려는 드로셀마이어 대부를 붙잡고 프리츠가 물었다.

프리츠의 질문에 어머니는 말도 안 되는 이야기를 한다며 핀잔을 주었다. 하지만 드로셀마이어 대부는 묘하게 웃으며 이렇게 답했다.

"글쎄다. 나도 쥐덫쯤은 뚝딱 발명할 만큼 훌륭한 시계 제작자이기는 하지."

8장

단단한 호두에 관한 두 번째 이야기

다음 날 저녁, 드로셀마이어 대부는 이야기를 이어갔다.

자, 얘들아. 이제 왕비가 어여쁜 피를리파트 공주 주변을 왜 그렇게 철통같이 지켰는지 그 이유를 알겠지? 왕비는 마우제링크스 부인이 정말로 다시 나타나 공주를 두 동강 내버릴까 봐 두려웠던 거란다. 전에도 말했듯 드로셀마이어의 쥐덫도 영악한 마우제링크스에겐 먹히지 않았거든. 그러던 어느 날, 왕실 천문학자가 공주를 보호할 방법을 찾았다고 보고했어. 참고로 이 천문학자는 별들의 흐름과 우주의 신호를 읽어내는 왕가의 점성술사이기도 했단다. 어쨌든 이 천문학자는 공주를 마우제링크스의 공격으로부터 지킬 수 있는 것은 수고양이 가문뿐이라고 말했어. 요람을 둘러싸고 앉은 유모들이 무릎 위에 수고양이 가문의 후손을 한 마리씩 앉혀놓게 된 건 바로 그 이유였단다. 고양이들에게는 참사관이라는 공식 직위가 주어졌고, 유모들은 공주를 지키는 중책을 맡은 이 참사관들의 노고를 덜어주고자 공손하게 쓰다듬어주었지.

그러던 어느 날 자정 무렵, 요람 바로 옆에 앉아 자고 있던 수석 유모 한 명이 뭔가를 느낀 듯 화들짝 놀라며 잠에서 깨어났어. 주위를 둘러보니 고양이들도, 고양이를 무릎에 앉힌 유모들도 모두 잠들어 있었지. 수고양이들이 가르랑거리는 소리도 당연히 들리지 않았어. 사방은 그야말로 쥐 죽은 듯 고요해 나무좀이 나무를 갉아 먹는 소리마저 들릴 지경이었지.

수석 유모는 요람 쪽으로 고개를 돌렸어. 그런데 거대한 쥐 한 마리가 뒷발로 선 채 공주의 얼굴에 흉측한 머리를 들이대고 있는 것 아니겠니? 그 광경을 본 수석 유모가 얼마나 깜짝 놀랐을지는 굳이 말하지 않아도 알겠지? 수석 유모는 공포에 찬 비명을 지르며 자리에서 벌떡 일어났고, 그 소리에 놀라 방에 있던 모든 사람이 잠에서 깼어. 그 순간 마우제링크스 부인은 방 저쪽으로 잽싸게 도망쳐버렸지. 그래, 요람 옆에 있던 커다란 쥐는 다름 아닌 마우제링크스 부인이었던 거야. 고양이 참사관들이 재빨리 뒤를 쫓았지만 잡을 수 없었어. 마우제링크스 부인은 마룻바닥 틈새로 이미 도망친 후였거든. 소란에 잠이 깬 피를리파트 공주가 애처로운 소리를 내며 울기 시작했어.

공주의 울음소리를 들은 유모들은 "무사하시구나! 정말 다행이야!"라고 외쳤어. 하지만 다음 순간 공주의 변한 모습을 보고 경악하고 말았지. 발그레한 예쁜 얼굴과 귀여운 곱슬머리는 온데간데없이 사라지고 그 자리에는 기이하게 일그러진 커다랗고 흉측한 얼굴이 있었어. 몸은 온통 쪼그라들고 굽어진 데다, 예쁘게 반짝이는 푸른 눈이 있던 자리에는 툭 튀어나온 칙칙한 녹색 눈이 자리 잡고 있었지. 앙증맞던 입은 양쪽 귀까지 쭉 찢어진 아귀 입으로 변해 있었어.

왕비는 비탄에 빠져 매일 죽을 듯 통곡했어. 왕은 매일 "세상에 나처럼 불행한 왕이 있을까!"라고 한탄하며 서재 벽에 머리를 찧어댔지. 결국 서재에는 솜을 덧댄 벽지를 발라야 했어.

아마 보통 사람이라면 이쯤에서 소시지 비계에 괜히 집착했다거나 평화롭게 살던 마우제링크스 부인과 가족을 괜히 건드렸다는 후회를 했을지도 몰라. 하지만 왕은 그런 생각을 하는 사람이 아니었단다. 그는 뜬금없이 모든 잘못을 뉘른베르크 출신의 시계제작자 크리스티안 엘리아스 드로셀마이어에게 떠넘겼어. 그러고는 딱 자기다운 '현명한' 명령을 내렸지. 왕은 드로셀마이어에게 4주 안에 피를리파트 공주의 모습을 원상태로 되돌려놓거나, 당장 돌려놓을 수 없다면 방법이 무엇인지라도 알아내라는 명령을 내렸어. 명을 어기면 사형 집행인의 도끼로 치욕스러운 죽음을 맞이하게 해주겠다는 무시무시한 으름장도 잊지 않았지.

드로셀마이어는 이게 무슨 날벼락인가 싶었지만, 자신의 재주와 운을 믿어보기로 했어. 그는 우선 효과가 있을 것 같은 첫 번째 방법을 즉시 실행에 옮겨보았단다. 바로 시계를 분해하듯 공주를 분해해 살펴보는 것이었지. 드로셀마이어는 공주가 다치지 않도록 조심하며 기막힌 솜씨로 팔다리를 분리해내고 내부 구조를 살펴보았어. 하지만 안타깝게도 공주의 몸이 자랄수록 더 흉측해질 거라는 사실 외에는 그 어떤 것도 알아낼 수 없었지. 드로셀마이어는 공주의 몸을 다시 조심조심 조립했어. 그러고는 낙담해서 공주의 요람 옆에 주저앉았지. 드로셀마이어는 왕의 명령 때문에 낮에도 밤에도 공주의 곁을 떠날 수가 없었거든.

시간은 흘러 어느덧 네 번째 주가 되었어. 게다가 벌써 수요일이었지. 드로셀마이어로부터 아무 연락이 없자 왕이 성난 눈을 부라리며 공주의 방으로 찾아와 지휘봉을 마구 휘두르며 외쳤어.

"크리스티안 엘리아스 드로셀마이어! 공주를 원래대로 되돌려놓지 못하면 네놈은 죽음을 면치 못할 것이다!"

드로셀마이어는 요람 옆에 주저앉아 대성통곡했어. 하지만 피를리파트는 그저 즐거운 얼굴로 호두를 까득까득 깨 먹고 있을 뿐이었지. 그 순간 드로셀마이어는 공주가 이가 모두 난 채로 태어났다는 사실과 그 이로 호두를 깨 먹는 것을 유난히 좋아한다는 사실을 기억해냈어. 처음 모습이 흉측하게 변했을 때도 공주는 몇 시간 동안이나 빽빽대며 울다가 어디서 굴러온 호두 덕에 울음을 그쳤거든. 굴러온 호두를 이 사이에 넣고 깨서 알맹이를 먹은 후에야 잠잠해졌었지. 그 후로 유모들은 피를리파트 공주에게 끊임없이 호두를 대령해야 했어.

'오, 모든 것에 깃든 성스럽고 신비로운 자연의 본능이여! 드디어 내게 비밀의 문을 보여주는구나! 내 그 문을 두드려 열어 보이겠다.'

드로셀마이어는 왕에게 왕실 천문학자를 만나게 해달라고 청했고, 왕은 드로셀마이어가 도망가지 못하도록 근위병을 잔뜩 붙여 천문학자의 방으로 보냈어. 절친한 친구 사이였던 드로셀마이어와 천문학자는 서로 보자마자 끌어안고 엉엉 울었단다. 그러고는 잠시 후 비밀의 방에 들어가 책을 뒤지며 본능, 공감, 반감과 같은 신비로운 것들에 대해 연구했지.

밤이 되자 천문학자는 별을 살펴보았어. 그러고는 천문학에도 조예가 깊은 드로셀마이어와 함께 피를리파트 공주의 운명에 관해 별점을 쳐보았단다. 하지만 답을 주어야 할 별들의 선이 자꾸 엉키고 꼬이기만 해서 점괘를 읽기가 쉽지 않았어. 한참을 애쓰던 천문학자와 시계제작자 앞에 드디어 답이 모습을 드러냈단다. 저주를 깨고 공주의 어여쁜 모습을 되찾을 방법을 마침내 찾은 거야. 답은 간단했어. '크라카툭' 호두의 달콤한 알맹이를 먹이기만 하면 되는 거였지.

크라카툭은 껍데기가 아주 단단한 호두였어. 20킬로그램짜리 포탄을 넣는 육중한 대포가 밟고 지나가도 끄떡없을 정도로 단단하다고 알려져 있었지. 이 호두의 껍데기를 깨는 유일한 방법은 면도를 해본 적이 없고 부츠를 신어본 적이 없는 청년이 이로 깨무는 것이었어. 청년이 공주 앞에서 크라카툭 호두를 깨물어 깐 후 눈을 감은 채 그 알맹이를 공주에게 바치고 비틀거리지 않는 똑바른 뒷걸음질로 일곱 발자국을 가서 눈을 뜨면 저주가 풀리는 거였지.

드로셀마이어와 천문학자는 크라카툭 호두에 관해 그 후로도 사흘 밤낮을 연구했어. 드로셀마이어는 사형 집행이 예정되어 있던 일요일로부터 딱 하루 전인 토요일 오후에서야 오찬 중이던 왕에게 헐레벌떡 달려가 공주의 아름다운 모습을 되찾을 방법을 찾았다고 기쁜 목소리로 보고했어. 그 말을 들은 왕은 크게 기뻐하며 선물로 다이아몬드로 장식한 검과 훈장 네 개, 근사한 새 옷 두 벌을 내리겠다고 했지.

"그럼 오찬이 끝나는 즉시 작업을 시작하도록 하시오." 왕이 드로셀마이어에게 명했어. "그리고 공주에게 크라카툭 호두를 바칠, 면도한 적이 없고 부츠를 신어본 적이 없는 청년에게는 절대 와인을 마시지 못하게 해야 하오. 뒷걸음질을 치다가 넘어지기라도 하면 큰일이잖소. 와인은 임무를 수행한 후에 얼마든지 마시게 해주지."

청년도 크라카툭 호두도 준비하지 못한 드로셀마이어는 왕의 갑작스러운 명령에 당황할 수밖에 없었어. 결국 덜덜 떨리는 목소리로 저주를 풀 방법을 알아낸 것은 맞지만 청년과 호두는 이제부터 찾아야 하며, 사실 꼭 찾을 수 있다는 장담을 하기도 어렵다고 더듬거리며 말했어.

"그럼 네놈의 머리를 베는 수밖에 없겠구나!" 다시 진노한 왕은 왕관을 쓴 머리 위로 지휘봉을 휘두르며 고래고래 소리쳤어.

한 가지 다행인 것은 이 모든 일이 왕이 오찬을 아주 만족스럽게 즐긴 직후에 일어났다는 거였어. 맛있는 음식을 먹은 덕에 기분이 꽤 괜찮았던 왕은 드로셀마이어를 가엾게 여긴 인정 많은 왕비의 만류에 귀 기울였어. 드로셀마이어도 없는 용기를 간신히 쥐어짜 내서는 그래도 저주를 풀 방법을 찾으라는 과제는 해결한 것이니 목숨만은 살려달라고 애원했지.

왕은 둘의 말에 잠시 귀 기울이나 싶었지만, 다시 또 말도 안 되는 변명이라며 노발대발했어. 그러다가 소화를 돕는 식후주를 한 잔 마시더니 다시 기분이 나아졌는지 마음을 바꿨어. 드로셀마이어에게 목숨만은 살려줄 테니 지금 당장 천문학자와 함께 길을 떠나 크라카툭 호두를 찾아오라고 했지. 호두를 찾을 때까지 왕국으로 돌아오는 것은 꿈도 꾸지 말라면서 말이야. 호두를 깨줄 청년은 현명한 왕비의 제안대로 나라 안팎의 신문에 광고를 내 찾기로 했단다.

드로셀마이어 판사는 이 대목에서 또 이야기를 멈추고 다음 날 저녁에 마저 들려주겠다고 했다.

9장

단단한 호두에 관한 마지막 이야기

다음 날 저녁, 드로셀마이어 대부는 스탈바움 씨네 집 램프에 불이 켜지기가 무섭게 도착했다. 대부는 어제 멈추었던 대목에서 이야기를 이어갔다.

시계제작자 드로셀마이어와 천문학자는 왕궁을 떠나 무려 15년 동안이나 방방곡곡을 뒤지고 다녔지만 어디에서도 크라카툭 호두를 찾을 수 없었단다. 둘이 그 긴 세월 동안 떠돌아다닌 장소들, 또 그곳에서 본 기이한 광경들에 대해 전부 이야기하려면 한 달을 꼬박 떠들어도 모자라겠지만, 우선 오늘은 원래 하던 이야기를 이어가도록 하자꾸나.

어디에서도 호두를 찾을 수 없어 낙담한 드로셀마이어는 결국 고향 뉘른베르크를 그리워하며 향수병에 걸렸어. 아시아 대륙 어딘가의 광활한 숲에서 천문학자와 나란히 앉아 파이프 담배를 피우고 있던 어느 날, 드로셀마이어는 고향에 대한 그리움을 가누지 못해 노래를 부르기 시작했어.

오, 아름다운 나의 고향
뉘른베르크에 가보지 못한 이들은 참으로 가엾기도 하지
런던, 파리, 페트로바라딘, 그 모든 도시에 가보았어도
뉘른베르크에 가보지 않았다면 그 가슴은 닫혀 있네
한 번만 가보아도 그리워할 그곳
아름다운 집들과 반짝이는 창문들의 도시

드로셀마이어가 구슬픈 목소리로 노래를 부르는 모습을 보니 천문학자의 마음도 울적해졌어. 결국 둘은 나란히 앉아 아시아 대륙이 떠나가라 대성통곡했지.

잠시 후 마음을 조금 진정시킨 천문학자가 눈물을 닦으며 말했어.

"나의 사랑하는 친구여, 여기에서 울고 있을 게 아니라 함께

자네의 고향 뉘른베르크로 가보는 것은 어떻겠나? 크라카툭 호두를 어디에서 찾든 찾기만 하면 되는 것 아니겠는가? 그 진절머리 나는 호두가 뉘른베르크에 있을지도 모르는 일 아닌가?"

"그렇군. 자네 말이 맞아." 드로셀마이어가 조금은 밝아진 목소리로 답했어.

둘은 자리에서 벌떡 일어나 파이프의 담뱃재를 비우고는 아시아의 광활한 숲에서 빠져나와 곧장 뉘른베르크로 향했어.

시계제작자 드로셀마이어는 뉘른베르크에 도착하자마자 인형제작자이자 칠장이, 도금공인 사촌 크리스토프 자하리아스 드로셀마이어를 찾아갔지. 둘은 정말 오랜만에 만나는 것이었어. 시계제작자는 사촌에게 피를리파트 공주, 마우제링크스 부인, 크라카툭 호두 이야기까지, 그동안 있었던 일들을 모두 들려주었단다. 크리스토프는 이야기를 듣는 내내 손뼉을 쳐가며 "그렇게 신기한 일이!"라고 몇 번이나 외쳤어.

드로셀마이어는 크라카툭 호두에 대한 단서를 찾기 위해 두 해 동안이나 대추 왕국의 궁정에서 일했던 이야기, 아몬드국 제후에게 도움을 청했다가 매몰차게 쫓겨난 이야기, 다람쥐 왕국 자연사 연구회에 기대를 걸었다가 실망만 맛보아야 했던 이야기, 그러니까 정리하자면 그 어디에서도 크라카툭 호두를 찾을 수 없었다는 이야기를 들려주었단다.

크리스토프는 시계제작자의 이야기를 들으며 손가락을 튕겨 딱딱 소리를 내고 한쪽 발로 서서 빙그르르 도는가 하면 혀를 끌끌 차기도 했어. 그러더니 마침내 "이럴 수가, 세상에 이럴 수가!"라고 외치며 모자와 가발을 공중으로 집어 던지더니 드로셀마이어를 꼭 끌어안았지.

"사촌, 사촌은 이제 살았어! 이제 고생은 끝났단 말일세! 아무래도 내가 그 호두를 가지고 있는 것 같거든!"

크리스토프는 그렇게 말하며 웬 상자를 하나 가져오더니 금박을 입힌 중간 정도 크기의 호두를 꺼내 보였어.

"자, 여기 이걸 보게." 크리스토프는 드로셀마이어에게 호두를 보여주고는 그 호두를 손에 넣게 된 사연을 들려주기 시작했지.

"몇 년 전 크리스마스 즈음 웬 낯선 남자 하나가 호두를 한 자루 지고는 마을에 나타났다네. 아마 동네에서 호두를 팔려고 하는 것 같았어. 그런데 동네에서 원래 호두를 팔던 호두장수가 그 모습을 보고 왜 남의 동네에서 장사를 하느냐며 따지고 들었다네. 결국 우리 인형가게 앞에서 시비가 벌어졌어. 낯선 남자는 몸싸움에 대비하려는지 호두 자루를 바닥에 내려놓았지. 그런데 그 순간 짐을 잔뜩 실은 짐마차가 자루를 깔고 지나가며 안에 있던 호두가 모조리 깨져버린 거야. 딱 하나만 빼고 말이지. 낯선 남자는 어딘가 기묘한 미소를 지으며 내게 와서는 1720년에 발행된 20냥짜리 은화 한 닢에 그 호두를 살 생각이 없느냐고 물었어. 그런데 희한하게도 마침 내 주머니에 바로 그 동전이 들어 있었거든. 그래서 흔쾌히 호두를 사서는 금으로 도금을 했지. 생각해보면 호두 한 알을 왜 그렇게까지 비싸게 사서 지금까지 이렇게 애지중지하며 보관해왔는지 나도 이유를 잘 모르겠기는 하네."

드로셀마이어는 사촌이 내민 호두가 꿈에도 그리던 그 크라카툭 호두라는 것을 선뜻 믿을 수가 없었어. 하지만 천문학자를 불러와 호두의 도금을 벗겨내자 모든 것이 명확해졌지. 호두의 껍데기에 중국어로 '크라카툭'이라고 선명하게 새겨져 있었거든. 시계제작자와 천문학자는 뛸 듯이 기뻐했어. 기쁘기는 크리스토프도 마찬가지였지. 앞으로 왕궁에서 생활비를 두둑하게 챙겨주는 것은 물론이고 도금에 쓰는 금박도 모두 공짜로 받게 될 거라고 드로셀마이어가 말했거든.

오랜만에 발 뻗고 자게 된 시계제작자와 천문학자는 잠옷을 입고 취침용 모자를 쓰고는 자리에 누웠어. 천문학자가 시계제작자에게 말했지.

"이보게, 친구. 행운은 역시 한번 찾아들기 시작하면 연이어 찾아드는 법이군. 아무래도 오늘 크라카툭 호두뿐 아니라 그 호두로 공주의 아름다움을 되찾아줄 청년까지 찾은 것 같네. 바로 자네 사촌의 아들 말일세!"

들뜬 목소리로 말하던 천문학자가 갑자기 벌떡 일어나며 외쳤어.

"아, 지금 내가 잠을 잘 때가 아니지. 당장 그 청년의 별점을 쳐봐야겠네."

천문학자는 취침용 모자를 벗고 별들을 관찰하기 시작했어.

크리스토프의 아들은 아주 훌륭하고 멋진 청년이었단다. 그리고 실제로 한 번도 수염을 깎거나 부츠를 신어본 적이 없었지. 어렸을 때는 크리스마스가 몇 번 지나도록 어딘가 조금 모자란 꼭두각시처럼 행동하고 다녔지만, 아버지의 피땀 어린 노력과 엄한 교육 덕에 이제 그런 모습은 상상도 할 수 없는 점잖은 청년이 되어 있었단다. 청년은 크리스마스 철이면 가장자리에 금색 테두리를 두른 멋진 빨간 외투를 입고 허리에 칼을 찬 채 옆구리에는 근사한 모자를 끼고 다녔어. 섬세하게 손질해 하나로 묶은 머리채는 늘 등 뒤로 단정하게 늘어뜨린 채였단다. 이 청년은 아버지의 가게에 온 소녀들에게 친절하게 호두를 까주곤 했는데, 그래서 마을 사람들은 그를 '잘생긴 호두까기'라고 부르곤 했지.

"그 젊은이가 맞았네! 우리가 드디어 찾아낸 거라고!" 다음 날 아침, 천문학자가 시계제작자의 목을 와락 끌어안으며 외쳤어. 천문학자는 기뻐하면서도 두 가지를 명심해야 한다며 말을 이었지. "우선 자네 조카의 아래턱에 연결할 튼튼한 나무 머리채를 만들어주게. 그렇게 턱에 연결한 머리채를 손잡이처럼 들어 올렸다 내리면 아마 호두를 한 번에 쉽게 깰 수 있을 거야. 또 한 가지, 왕궁에 도착해서는 우선 크라카툭 호두를 찾았다는 이야기만 하고 자네 조카의 존재는 비밀에 부쳐야 하네. 시간을 좀 끌다 나중에 등장시켜야 한다는 말일세."

천문학자가 이유를 설명했다.

"사실 내가 어제 별점으로 미래를 좀 들여다봤거든. 우리가 크라카툭 호두를 가지고 왕궁에 돌아가면 호두를 깨보겠다는 사람들이 엄청 몰려들 걸세. 하지만 아무도 깨지 못하고 이만 상하게 되지. 그러면 왕은 저주를 풀지 못할까 덜컥 겁이 나서 공주의 아름다움을 되찾아주는 청년에게 부마의 자리를 주고 나중에 왕국을 물려주겠다고 선언하게 된다네. 왕이 그 선언을 한 후에 등장하면 자네 조카는 공주와 결혼하고 나중에는 왕이 될 수 있다는 말이지!"

아들이 왕의 부마가 되고 왕국을 물려받을 수 있다는 말을 들은 크리스토프는 뛸 듯이 기뻐하며 모든 것을 두 사람에게 맡겼단다. 드로셀마이어는 천문학자의 말대로 튼튼한 나무 머리채를 만들어 조카의 아래턱에 연결시켜 주었어. 이 장치로 턱을 한껏 열었다 닫으니 아주 단단한 복숭아씨도 쉽게 깰 수 있었지.

드로셀마이어와 천문학자는 왕궁에 크라카툭 호두를 발견했다는 전갈을 보냈어. 왕은 호두를 깰 젊은이를 찾는다는 공고를 다시 한번 냈단다. 뉘른베르크를 떠난 드로셀마이어 일행이 왕궁에 도착했을 즈음에는 튼튼한 이로 호두를 깨서 공주를 구해보겠다는 이들이 구름처럼 모여 있었어. 그중에는 이웃 나라의 왕자님들도 몇몇 껴 있었지.

오랜만에 피를리파트 공주의 모습을 다시 본 드로셀마이어와 천문학자는 혼비백산하고 말았단다. 가느다란 팔다리와 작은 몸통이, 거대하고 보기 흉한 머리를 위태위태하게 받치고 있는 그 모습이 기억보다 훨씬 흉측했거든. 게다가 입 주위에는 흰 턱수염까지 나서 정말 봐주기 힘든 몰골이 되어 있었단다.

부츠를 신지 않은 청년들이 차례로 등장해 크라카툭 호두를 까겠다며 힘껏 깨물었지. 하지만 호두를 깨서 공주를 구하기는커녕 다들 멀쩡하던 이와 턱만 상한 채 얼이 빠져서 실려 나갔단다. 다행히 치과 의사가 대기하고 있기는 했지. 많은 청년들이 밖으로 실려 나가며 "아, 정말 단단한 호두* 였어"라고 중얼거렸어.

젊은이들이 줄줄이 실려 나가자 왕은 천문학자의 예언대로 공주의 저주를 푸는 이에게 부마 자리를 주고 왕국을 물려주겠다고 선언했어. 바로 그 순간, 때를 기다리던 우리의 잘생긴 뉘른베르크 젊은이가 나타나 자기가 한번 해보겠다며 정중하게 왕의 허락을 구했지.

피를리파트 공주는 그 청년이 마음에 들었어. 작은 손을 가슴에 얹고 심호흡을 하며 '제발 저분이 호두를 깨서 내 남편이 되었으면!' 하고 생각했지.

청년은 왕과 왕비, 공주에게 차례로 공손히 인사한 후 왕실 의전장의 손에 들린 크라카툭 호두를 받아들었어. 그리고 호두를 입에 물고는 나무 머리채를 단번에 잡아당겼지. 따닥 소리가

* 서양어권에서 '단단한 호두'는 까다로운 문제나 다루기 힘든 사람을 의미함.

나며 껍데기가 여러 조각으로 부서졌어. 청년은 호두 알맹이에 붙은 껍질 조각을 능숙하게 떼어내고 눈을 감은 채로 공주에게 바치더니 뒷걸음질을 시작했어.

한편, 공주는 청년이 건넨 호두 알맹이를 입에 넣고 삼켰단다. 그러자 놀라운 일이 일어났지. 흉측했던 모습이 사라지고 다시 천사의 모습이 돌아온 거야! 보조개가 옴폭 들어간 장밋빛 뺨, 백합같이 희고 고운 피부, 반짝이는 파란 눈동자, 그리고 길게 늘어진 곱슬곱슬한 금발까지, 공주는 다시 예전의 아름다움을 되찾았어.

모두가 환호성을 지르고 북소리와 나팔소리가 요란하게 울렸어. 왕과 대신들은 피를리파트가 태어난 날 했던 것처럼 한쪽 발로 껑충껑충 뛰며 춤을 췄지. 왕비는 너무 기쁜 나머지 기절해 버렸어. 시녀들이 와서 왕비의 코 밑에 오드콜로뉴* 를 대주어야 했지.

아직 일곱 걸음을 다 가지 못한 청년은 주변의 환호성과 음악소리에 적잖이 당황했지만 정신을 집중해 침착하게 발걸음을

* 과거에는 두통을 치료하거나 기절한 사람의 정신을 돌아오게 하는 등의 의학적 용도로 향수를 사용하기도 했음.

옮겼지. 이제 마지막으로 오른발을 내려놓으려는 순간, 마룻바닥 틈새에서 요란스럽게 찍찍거리며 마우제링크스 부인이 튀어나왔어. 청년은 발을 내려놓으며 마우제링크스 부인을 밟는 바람에 균형을 잃고 비틀거리고 말았단다.

아, 너무나도 불행한 일이 벌어지고 말았어. 청년의 모습이 바로 조금 전의 피를리파트 공주처럼 흉측하게 변해버린 거야. 당당하던 모습은 어디 가고, 이제 쪼그라든 몸통 위에 비정상적으로 큰 머리를 겨우 올려놓은 모양새였어. 불룩 튀어나온 큰 눈과 양쪽으로 쫙 찢어진 입은 흉측하기 짝이 없었지. 머리채가 있던 자리에는 손잡이처럼 생긴 나무 망토가 생겨나 있었는데, 이 망토를 위아래로 움직여 턱을 여닫을 수 있었어.

시계제작자와 천문학자는 너무 놀라고 겁에 질려 멍하니 서 있었어. 그 순간 피투성이가 되어 바닥에 뒹굴고 있는 마우제링크스 부인의 모습이 눈에 들어왔지. 공주에게 저주를 내린 것이 천벌로 돌아왔는지, 마우제링크스 부인은 드로셀마이어 가문 청년의 날카로운 구두 굽에 목이 꿰뚫린 채 죽게 된 거야. 마우제링크스 부인은 고통에 몸부림치며 온 힘을 쥐어짜 내서 찍찍거리며 노래를 불렀어.

오, 크라카툭, 단단한 호두여

너 때문에 내가 죽는구나

아, 호두까기,

너의 죽음도 머지않았나니

일곱 왕관을 쓴 나의 아들 생쥐 왕이

이 어미의 원수를 갚아줄 거야

흉측하고 교활한 호두까기 같으니

찬란하게 빛나는 삶이여 안녕

나는 이제 음울한 죽음의 그늘로 가누나

찍!

마우제링크스 부인은 단말마의 비명을 지르며 숨을 거뒀고, 곧 왕궁에서 불을 때는 화부가 나타나 시신을 실어갔어.

모든 일이 정신없이 순식간에 벌어진 터라 그때까지 모두가 드로셀마이어 청년은 잊고 있었어. 그러다 저주를 푼 사람과 결혼시키겠다던 약속은 어떻게 되는 거냐고 공주가 왕에게 물었지. 왕은 그제야 신하들에게 그날의 영웅인 드로셀마이어 청년을 앞으로 데려오라고 했어. 그러나 흉하게 변해버린 청년의 모습을 보자 공주의 마음이 변해버리고 말았어. 공주는 두 손으로 얼굴을 가리고 "어서 치워라! 저 흉측한 호두까기를 당장 치우지 못할까!"라고 외쳤지.

그 말을 들은 경비대장이 호두까기의 좁은 양어깨를 잡고 끌어내 문밖으로 던져버렸어. 왕은 호두까기 따위를 공주의 부마로 앉히려고 얄팍한 속임수를 썼다고 노발대발하면서 시계제작자와 천문학자를 수도에서 영원히 추방해버렸지.

천문학자가 뉘른베르크에서 봤던 별점에서는 읽지 못한 전개였어. 분명 청년이 왕이 된다는 점괘였거든. 천문학자는 다시 한번 별점을 쳐보았지. 드로셀마이어 젊은이가 호두까기로서의 삶을 잘 살아갈 수 있을지, 시련을 견디고 언젠가 왕자가 되고 왕이 될 수 있을지 궁금했거든.

청년이 제 모습을 되찾을 방법은 하나뿐이었어. 바로 마우제링크스 부인이 일곱 아들을 잃고 새로 낳은 자식인 머리 일곱 개 달린 생쥐 왕을 무찌르고 호두까기의 흉한 외모도 사랑해주는 아가씨를 찾는 것이었지.

전해지는 말에 따르면, 옛날 크리스마스 철에 뉘른베르크의 인형가게에 가면 실제로 그 청년을 볼 수 있었다더구나. 지금은 호두까기이자 왕이 된 그 청년을 말이다.

“자, 여기까지가 단단한 호두에 관한 이야기란다. 이제 너희들도 사람들이 어려운 문제에 직면했을 때 “아, 정말 단단한 호두야”라고 말하는 이유를 알겠지? 호두까기 인형이 저렇게 흉한 외모를 가지게 된 사연도 잘 알게 되었으리라 믿는다.”

드로셀마이어 판사의 이야기는 이렇게 마무리되었다. 마리는 은혜도 모르는 피를리파트 공주가 너무 못됐다며 호두까기 인형이 가엽다고 했다. 프리츠는 호두까기 인형이 용기 있는 사내라면 생쥐 왕을 무찌르고 곧 예전의 멋진 모습을 되찾을 테니 걱정하지 말라며 동생을 안심시켰다.

10장

삼촌과 조카

유리에 베여본 적이 있는 독자라면 그 베인 상처가 얼마나 아픈지, 또 얼마나 오래가는지 잘 알고 있을 것이다. 몸을 일으키면 느껴지는 어지럼증 때문에 마리는 결국 거의 일주일 동안을 침대에서만 지내야 했다. 그러나 마리는 곧 다시 건강을 회복했고, 평소처럼 방 안을 즐겁게 뛰어다니며 놀 수 있게 되었다.

새 유리를 끼워 넣은 유리 장식장은 새것같이 멋졌다. 내부에는 다시 나무와 꽃, 집들과 아름다운 인형들이 가지런히 정리되어 있었다. 장식장 앞에 선 마리는 우선 호두까기 인형의 상태를 살폈다. 아래에서 두 번째 칸에 놓인 호두까기 인형은 다시 튼튼해진 이를 드러내며 마리를 향해 웃고 있었다. 애정 어린 눈길로 호두까기 인형의 상태를 살피던 마리는 드로셀마이어 대부님이 들려준 단단한 호두 이야기를 떠올렸다. 마우제링크스 부인과 생쥐 왕이 등장하는 그 이야기가 단순한 동화가 아닌 실제 일어난 사건이라는 생각이 들자, 마리는 호두까기 인형이 가엾어서 견딜 수 없었다. 마리는 지금 눈앞에 있는 호두까기 인형이 마우제링크스 부인의 저주로 흉하게 변해버린 뉘른베르크의 젊은이, 즉 드로셀마이어 대부의 잘생긴 조카라고 굳게 믿었다. 단단한 호두 이야기를 처음 듣는 순간부터 마리는 드로셀마이어 대부와 왕궁 시계제작자 드로셀마이어가 같은 인물이라는 사실을 한순간도 의심하지 않았다.

"근데 그렇다면 당신의 삼촌은 왜 당신을 도와주지 않은 거죠? 대체 이유가 뭘까요?" 마리는 호두까기 인형을 바라보며 한탄했다.

마리는 지난번 호두까기 인형과 생쥐 왕의 군대 사이에 벌어졌던 전투 장면을 다시 떠올려 보았다. 곰곰이 생각해 보니 역시 그 전투는 생쥐 왕의 공격으로부터 장난감 왕국을 지키기 위한 싸움이었던 게 틀림없는 것 같았다. 또 거실에 있던 모든 장난감이 호두까기 인형의 명령에 충실히 따르던 모습으로 미루어 짐작해보건대, 아무래도 호두까기 인형은 천문학자의 예언대로 장난감 왕국의 왕이 된 것 같았다.

이런 생각을 하고 있자니 호두까기 인형과 장난감들이 더더욱 살아 있는 존재로 느껴졌다. 마리는 장난감들이 금방이라도 살아 움직일지도 모른다는 기대를 담아 장식장을 바라보았다. 그러나 아무리 바라보아도 인형들은 손끝 하나 움직이지 않았다. 마리는 그래도 인형들이 살아 있다는 믿음을 버리지 않았다. 인형들이 지금 움직이지 못하는 것은 아무래도 마우제링크스 부인의 저주 때문인 것 같았다.

"드로셀마이어 씨, 지금은 비록 당신이 움직이거나 말하지는 못하지만 제 말을 듣고 계신 것을 알아요. 제 마음이 느껴지시죠? 당신이 제 도움을 필요로 할 때는 언제든 도울게요. 혹시 당신의 삼촌인 드로셀마이어 대부님의 도움이 필요하다면 알려주세요. 제가 대부님을 불러올게요." 마리는 호두까기 인형에게 말했다.

호두까기 인형은 여전히 미동조차 없었지만, 장식장 안에서 나직한 한숨 소리가 흘러나오는 것 같았다. 한숨 소리가 장식장 유리문에 부딪히며 미세하게 진동하자, 마리의 귓가에는 작은 종들이 울리는 것 같은 노랫소리가 울렸다.

나의 작은 마리

나의 수호천사여

나는 당신의 것이라오

나의 작은 마리

갑자기 들려온 소리에 깜짝 놀라 소름이 돋았지만, 정체 모를 낯선 설렘 또한 함께 느껴졌다.

날이 저물고 마리의 아버지가 드로셀마이어 대부와 함께 거실로 들어왔다. 루이제가 탁자 위에 찻잔을 놓으며 차 마실 준비를 했고, 곧 모두가 둘러앉아 이런저런 담소를 나누었다. 마리는 조용히 자기 의자를 들고 드로셀마이어 대부의 곁에 가서 앉았다. 그러고는 잠시 대화가 잦아든 틈을 타 커다란 파란 눈으로 드로셀마이어 대부를 똑바로 바라보며 당돌하게 말했다.

"대부님, 저는 이제 제 호두까기 인형이 대부님의 조카인 뉘른베르크의 청년이라는 걸 알아요. 호두까기 인형은 대부님의 친구인 천문학자가 예언한 대로 왕이 되었어요. 하지만 지금은 대부님도 아시다시피 마우제링크스 부인의 아들인 생쥐 왕과 전쟁을 벌이고 있지요. 대부님은 모든 것을 아시면서 왜 조카를 도와주지 않으시나요?"

마리는 지난번 거실에서 목격한 전투 장면을 다시 한번 생생하게 묘사했다. 하지만 어머니와 루이제가 자꾸만 웃음을 터뜨리는 바람에 이야기는 몇 번이나 중단되었다. 그나마 마리의 이야기를 조용하게 듣는 것은 프리츠와 드로셀마이어 대부뿐이었다.

마리의 말을 듣고 있던 아버지는 어머니에게 "대체 저런 터무니없는 이야기를 다 어디서 지어내는 걸까요?"라고 물었다.

"원래 마리가 상상력이 뛰어나잖아요." 어머니가 답했다. "다치고 나서 열에 시달리면서 꿈을 꾼 거겠죠."

프리츠는 프리츠대로 마리의 이야기를 믿을 수 없다고 난리였다.

"거짓말하지 마! 내 빨간 제복 경기병들이 그런 겁쟁이일 리가 없어! 우리 부대에서 그런 일은 용납되지 않는다고!"

그러나 드로셀마이어 대부만은 묘한 미소를 지으며 마리를 안아 올려 무릎에 앉혔다. 그러고는 그 어느 때보다도 다정한 목소리로 말했다.

“사랑스러운 마리야, 너는 나나 다른 사람들이 지니지 못한 것을 지닌 아이란다. 아름답고 찬란한 왕국을 다스리고 있는 너는 피를리파트처럼 공주로 태어난 아이야. 앞으로 못생긴 호두까기 인형을 돕는다면 많은 시련을 겪게 될 거야. 생쥐 왕은 수단과 방법을 가리지 않고 호두까기 인형에게 복수하려고 할 거거든. 호두까기 인형을 구할 수 있는 유일한 사람은 내가 아닌 바로 너란다. 그러니 앞으로도 지금 같은 마음이 변치 않도록 믿음을 가지렴.”

다른 식구들은 물론이고 마리조차 드로셀마이어 대부가 무슨 말을 하는 건지 알 수가 없었다. 의사인 스탈바움 씨는 친구가 좀 이상한 것 같다며 맥을 짚어보기까지 했다.

“이보게, 드로셀마이어. 자네 아무래도 머리 쪽에 피가 많이 몰린 것 같네. 내가 처방전을 써주지.”

반면 마리의 어머니는 생각에 잠겨 고개를 저으며 반쯤 혼잣말처럼 중얼거렸다.

“설명하긴 어렵지만 판사님이 무슨 말씀을 하시는지 어렴풋이 알 것 같기도 하네요.”

11장

승리

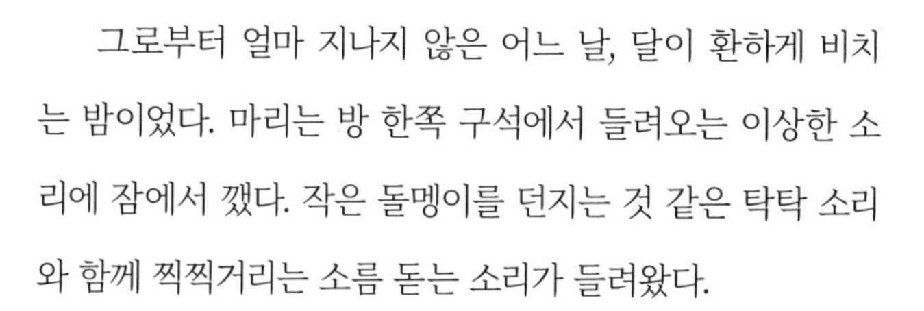

그로부터 얼마 지나지 않은 어느 날, 달이 환하게 비치는 밤이었다. 마리는 방 한쪽 구석에서 들려오는 이상한 소리에 잠에서 깼다. 작은 돌멩이를 던지는 것 같은 탁탁 소리와 함께 찍찍거리는 소름 돋는 소리가 들려왔다.

“생쥐들이야! 생쥐들이 다시 쳐들어온 거야!” 마리는 깜짝 놀라서 외쳤다. 어머니를 깨우려고 했지만 이상하게도 목이 꽉 막혀 소리가 나오지 않았다. 몸을 움직이려 해봐도 손가락 하나 까딱할 수 없었다. 마리는 벽에 있는 쥐구멍에서 기어 나온 생쥐 왕이 일곱 왕관과 열네 개의 눈을 반짝이며 자신에게 점점 다가오는 모습을 그냥 지켜볼 수밖에 없었다. 생쥐 왕은 마리의 침대 옆에 놓인 탁자 위로 껑충 뛰어올랐다.

"흐흐흐, 알사탕과 마지팬 과자를 내놓아라. 그렇지 않으면 호두까기 인형을 갉아 먹어버리겠다! 네 소중한 호두까기 인형을 말이다!"

생쥐 왕은 찍찍거리며 말하더니 소름 끼치는 소리를 내며 이를 까드득거렸다. 할 말을 마친 생쥐 왕은 바닥으로 뛰어내리더니 다시 쥐구멍 속으로 사라졌다.

생쥐 왕의 출몰에 큰 충격을 받은 마리는 다음 날 아침이 되어서도 하얗게 질린 얼굴로 멍하니 있었다. 어머니나 루이제, 프리츠에게 말해볼까 하는 생각도 몇 번이나 해보았지만, '내 말을 믿어줄까? 괜히 비웃음만 사는 것 아닐까?' 하는 마음에 결국 입을 꾹 다물고 말았다.

어쨌든 호두까기 인형을 구하려면 생쥐 왕에게 알사탕과 마지팬 과자를 주는 수밖에 없었다. 그날 저녁, 마리는 가지고 있던 사탕과자를 탈탈 털어 장식장 맨 아래 칸 선반의 가장자리에 놓아두었다. 이튿날 아침, 어머니의 깜짝 놀란 목소리가 들려왔다.

"아니, 생쥐들이 대체 어떻게 거실까지 들어온 거지? 마리, 이것 좀 보렴. 생쥐들이 네 사탕과 과자를 다 먹어버렸구나."

마리가 거실로 가보니 정말 과자가 거의 다 사라지고 없었다. 끈적거리는 마지팬은 생쥐 왕의 입맛에 맞지 않았는지 겉만 조금 갉아 먹은 채로 남아 있었지만, 어쨌든 쥐가 갉아 먹은 과자는 버리는 수밖에 없었다.

하지만 마리는 과자가 조금도 아깝지 않았다. 아깝기는커녕 자기가 놓아둔 과자가 호두까기 인형을 살렸다는 생각에 기쁘기까지 했다.

그런데 기쁨도 잠시, 바로 다음 날 밤 귓가에 또 찍찍대는 소리가 들려오는 것 아닌가? 그렇다. 생쥐 왕이었다. 생쥐 왕은 지난번보다 더 위협적으로 눈알을 부라리며 더 끔찍한 소리로 찍찍댔다.

"부족해, 부족하다. 설탕 인형과 생강빵 인형을 내놓아라. 그렇지 않으면 호두까기 인형을 갉아 먹어버리겠다! 네 소중한 호두까기 인형을 말이다!"

생쥐 왕은 말을 마치고 또다시 어디론가 사라졌다.

다음 날 아침, 마리는 장식장으로 달려가 설탕 인형들과 생강빵 인형들을 몹시 슬픈 눈으로 바라보았다. 마리가 애지중지 모아놓은 예쁜 설탕 인형과 생강빵 인형을 보았다면 아마 독자들도 마리의 심정을 충분히 헤아릴 수 있을 것이다. 장식장 선반 위의 인형들은 모두 예쁜 장면들을 연출하고 있었다. 귀여운 목동 소년과 소녀는 우유처럼 새하얀 양에게 풀을 먹이고, 양치기 개는 그 옆에서 즐겁게 놀고 있었다. 손에 편지를 들고 지나가는 우체부가 두 명 있는가 하면, 근사한 옷을 차려입은 남녀 인형 네 쌍은 배 모양의 큰 그네를 타며 즐거운 한때를 보내고 있었다. 발레리나 인형 몇 개 뒤로는 마리가 썩 아끼지는 않는 농부 펠트퀴멜*과 잔 다르크 모형이 놓여 있었다. 마리는 모형들을 모두 아꼈지만 사실 생쥐 왕에게 가장 내주기 싫은 인형은 따로 있었다. 바로 선반 제일 구석에 소중하게 놓아둔 발그레한 뺨의 꼬마 인형이었다. 꼬마 인형을 생쥐 왕에게 내줄 생각을 하니 눈물이 왈칵 차올랐다.

"아, 친애하는 드로셀마이어 씨!" 마리는 호두까기 인형을 바라보며 말했다. "당신을 구하기 위해서라면 무엇이든

* 독일의 극작가 아우구스트 폰 코체부가 쓴 연극의 속의 등장인물.

내줄 수 있어요. 하지만 마음이 아픈 건 어쩔 수가 없군요."

장식장 안의 호두까기 인형이 마리를 너무나도 슬픈 눈으로 바라보고 있었다. 마리를 바라보는 호두까기 인형의 뒤로 일곱 개의 입을 쩍 벌린 생쥐 왕의 모습이 어른거리는 것 같았다. 마리는 마음을 굳게 먹고 호두까기 인형을 위해 모든 것을 희생하기로 다시 한번 결심했다.

그날 저녁, 마리는 모든 설탕 인형과 생강빵 인형을 꺼내 지난번과 마찬가지로 장식장 맨 아래 칸 선반에 늘어놓았다. 마리는 목동 소년과 소녀, 작은 양들에게 차례로 입을 맞췄다. 가장 아끼는 꼬마 인형은 제일 안쪽으로 세웠다. 농부 펠트퀴멜과 잔 다르크 인형은 맨 앞줄에 세우기로 했다.

"어머나 세상에!"

이튿날 아침, 또다시 어머니의 깜짝 놀란 목소리가 들려왔다. "아무래도 장식장 안에 쥐새끼가 살고 있나 보다. 우리 마리가 아끼는 설탕 인형들과 생강빵 인형들을 다 물어뜯고 갉아놓았네."

마리는 참지 못하고 눈물을 흘렸다. 그러나 슬픔도 잠시, 그래도 호두까기 인형을 지켜냈다는 생각을 하니 어느새 다시 미소를 지을 수 있었다.

그날 저녁, 마리의 어머니는 드로셀마이어 판사가 함께 있는 자리에서 요즘 몹쓸 쥐 한 마리가 아이들 장난감 장식장을 휘젓고 다녀서 걱정이라고 푸념했다. 스탈바움 씨도 쥐가 자꾸 마리의 사탕이며 과자를 먹어치운다며, 잡을 방법이 없어 골치가 아프다고 했다.

대화를 듣고 있던 프리츠가 신이 나서 끼어들었다.

"아래층 빵집에서 키우는 회색 '고양이 참사관'을 빌려오는 건 어때요? 고양이 참사관이라면 문제를 단번에 해결해줄 거예요. 우리 집에 나타나는 쥐가 마우제링크스 부인이 됐건 생쥐 왕이 됐건 머리를 확 물어뜯어 버릴 테니까요."

"그래, 근데 그러느라고 의자와 탁자 위를 종횡무진 뛰어다니며 유리컵과 찻잔을 깨뜨리겠지." 어머니가 프리츠의 말에 덧붙였다.

"아니에요, 엄마!" 프리츠가 항변했다. "빵집 고양이가 얼마나 영리한데요. 좁디좁은 지붕 위를 거니는 모습은 또 얼마나 우아하고요. 아, 나도 지붕 위를 그렇게 거닐 수 있으면 좋으련만!"

"데려오더라도 밤에는 집 안에서 돌아다니지 못하게 해

줘." 고양이라면 질색하는 루이제가 말했다.

"프리츠 네 의견도 나쁘지는 않구나." 스탈바움 씨가 말했다. "하지만 일단 쥐덫을 한번 놓아보자. 아, 집에 쥐덫이 하나도 없던가?"

"쥐덫이라면 아마 드로셀마이어 대부님 댁에 멋진 게 있을 거예요. 대부님이 쥐덫을 발명했으니까요!" 프리츠가 외치자 모두가 웃었다.

마리의 어머니가 집에 정말 쥐덫이 하나도 없다고 하자, 드로셀마이어 판사가 자기 집에 사람을 보내 튼튼한 쥐덫 몇 개를 가져오게 했다.

마리와 프리츠는 집에 도착한 쥐덫을 보며 얼마 전 들은 단단한 호두 이야기를 떠올렸다. 특히 스탈바움 씨네 요리사인 도레 부인이 미끼로 쓸 돼지비계를 굽기 시작하자 마리의 머릿속에는 모든 이야기가 생생히 살아났다. 마리는 마치 동화 속으로 들어간 듯 도레 부인에게 "왕비님, 마우제링크스 부인과 그 가족을 조심하세요!"라고 외쳤다.

그 말을 들은 프리츠가 쥐새끼들이 나타나면 단칼에 베어버리겠다며 장난감 칼을 휘둘렀지만 동화 속 왕궁의 화덕과는 달리 스탈바움 씨네 화덕에서는 아무것도 나타나지 않았다.

드로셀마이어 판사는 다 구워진 비계를 가느다란 실에 묶어 쥐덫 안에 매달더니 장식장 앞에 아주 조심스럽게 내려놓았다. 프리츠는 그 모습을 보며 걱정스러운 말투로 "시계제작자 대부님, 생쥐 왕이 못된 장난을 칠지도 모르니 조심하세요!"라고 외쳤다.

하지만 걱정할 것은 드로셀마이어 대부가 아니었다. 가엾은 마리가 그날 밤 얼마나 끔찍한 경험을 해야 했던지!

잠을 자고 있던 마리는 얼음처럼 차가운 작은 발들이 팔을 타고 올라오는 느낌에 깜짝 놀라 깨어났다. 얼굴에 거칠고 불쾌한 뭔가가 쓸리는 느낌이 나며 귓가에 소름 끼치는 찍찍 소리가 들려왔다. 눈을 뜬 마리는 얼어붙고 말았다. 생쥐 왕이 마리의 어깨에 앉아 있었다. 생쥐 왕의 쩍 벌린 일곱 개의 아가리에서 피처럼 붉은 침이 뚝뚝 흘렀다. 생쥐 왕은 공포에 질려 옴짝달싹 못 하고 누워 있는 마리의 귀에 까드득 까드득 이 가는 소리를 내더니 끔찍한 목소리로 찍찍거렸다.

쉭쉭! 쉭쉭!

돼지비계 따위에 넘어갈쏘냐
똑똑한 생쥐 왕은 잡히지 않지
그럴싸한 쥐덫에 넘어갈쏘냐
그림책을 내놓아라
예쁜 새 옷도 내놓아라
다 내놓지 않으면 가만두지 않을 테다
호두까기 녀석도 죽게 되겠지
내가 갉아 먹어버릴 테니까
히히! 피피! 찍찍!

다음 날 아침 마리는 깊은 슬픔과 절망에 빠져 백지장처럼 하얗게 질린 안색으로 멍하니 앉아 있었다. 쥐가 아직 잡히지 않아 큰일이라고 말하던 어머니는 마리가 쥐들이 자꾸 사탕과자를 먹어치워서 속상해한다고 생각했는지 이렇게 말했다.

"마리, 곧 잡을 수 있을 테니 너무 걱정하지는 말렴. 쥐덫으로 안 될 것 같으면 프리츠더러 '고양이 참사관'을 데리고 오라고 할게."

어머니가 나가고 거실에 혼자 남은 마리는 장식장 앞으

로 쪼르르 달려가 흐느끼며 호두까기 인형에게 말했다.

"아, 친애하는 드로셀마이어 씨. 이 가엾고 불행한 소녀는 어떻게 해야 할까요? 무시무시한 생쥐 왕이 이번에는 크리스마스 선물로 받은 제 새 옷과 그림책을 내놓으라고 했어요. 옷과 그림책을 갈기갈기 찢은 후에는 또 무엇을 내놓으라고 할까요? 제게 아무것도 남지 않게 되면, 그때는 어떻게 해야 하죠? 당신을 가만히 놓아두는 대가로 저를 물어뜯겠다고 하면 어떻게 하죠? 아, 이 불쌍한 소녀는 정말 어찌해야 할지 모르겠어요."

장식장 앞에서 흐느끼며 한탄하던 마리는 호두까기 인형의 목에 못 보던 핏자국이 있는 것을 발견했다. 사실 마리는 호두까기 인형이 드로셀마이어 가의 청년이라는 것을 알게 된 순간부터 품에 안고 다니거나 입을 맞춰주지 않았다. 이상하게 부끄러운 마음이 들어서 손을 대는 것조차 꺼려졌기 때문이다. 하지만 핏자국을 그대로 둘 수는 없었다. 마리는 호두까기 인형을 조심스럽게 꺼내 손수건으로 인형의 목에 있는 핏자국을 닦아내기 시작했다.

그 순간 놀라운 일이 일어났다. 호두까기 인형의 몸에 따뜻한 온기가 돌더니 팔다리가 움찔거리며 움직인 것이다.

깜짝 놀란 마리는 호두까기 인형을 황급히 장식장에 내려놓았다. 호두까기 인형은 입술을 달싹거리며 힘들게 속삭였다.

"아, 나의 소중한 마리 아가씨. 저를 위해 해주신 그 모든 일에 너무나도 감사드립니다. 생쥐 왕에게 당신의 소중한 그림책과 새 옷을 내주지 마세요. 대신 저에게 칼 한 자루만 구해주십시오. 칼 한 자루만 구해주시면 나머지는 제가 처리하겠습니다. 제가…."

호두까기 인형의 말은 여기서 멈췄다. 조금 전까지 애절함이 서려 나오던 호두까기 인형의 눈은 다시 생기를 잃었다.

마리는 무서워하기는커녕 기뻐서 깡충깡충 뛰었다. 이제 마음 아픈 희생 없이도 호두까기 인형을 구할 수 있다는 생각에 마음이 놓였다. 하지만 호두까기 인형에게 줄 자그마한 칼을 어디서 구해야 할지가 고민이었다. 아무래도 프리츠에게 물어보는 것이 좋을 것 같았다.

그날 저녁 부모님이 외출하신 후 마리는 프리츠와 장식장 근처에 앉아 호두까기 인형과 생쥐 왕의 전투 이야기부터 시작해 그동안 있었던 모든 일을 자세히 들려주었다. 그리고 호두까기 인형을 구하기 위해서 작은 칼이 필요하다며 도움을 청했다.

하지만 프리츠는 칼을 구해주는 것은 뒷전인 듯 계속해서 자기 경기병 이야기만 물어보았다. 프리츠는 진지한 말투로 전투에서 경기병들이 그런 한심한 작태를 보인 게 사실이냐고 거듭 물었고, 마리는 자기가 본 대로 그렇다고 답했다. 프리츠는 마리의 말이 끝나기가 무섭게 장식장 앞으로 달려가 경기병들에게 일장 연설을 늘어놓았다. 그러고는 전투에서 비겁하고 이기적인 행동을 한 데 대한 처벌로 강등을 선언하고 경기병들의 모자에 달린 계급장을 하나씩 떼버렸다. 마지막으로 1년 동안 경기병 행진곡 연주를 금지하고 나서야 처벌 조치가 마무리되었다. 프리츠는 그제야 마리 쪽으로 돌아서며 말했다.

"칼이라면 내가 구해줄 수 있어. 마침 어제 나이 든 중기병 대령 한 명이 퇴역했거든. 대령은 어차피 이제 칼 쓸 일도 없을 테니 그걸 줄게."

퇴역한 대령은 장식장 셋째 칸 구석진 곳에서 프리츠가 정한 연금을 받으며 생활하고 있었다. 프리츠는 손을 뻗어 대령을 집어 들더니 은으로 장식한 멋진 칼을 떼어내 호두까기 인형의 허리에 채워주었다.

그날 밤 마리는 불안하고 겁이 나서 도저히 잠을 이룰 수 없었다. 자정쯤 되자 거실 쪽에서 우당탕거리는 소리와 함께 날붙이가 부딪치는 날카로운 소리가 들려오는 것 같았다. 소음은 한동안 요란스럽게 이어졌다. 그러다 갑자기 '찍!' 하는 소리가 들렸다.

"생쥐 왕이야! 생쥐 왕이 나타난 거야!" 마리는 깜짝 놀라 외치며 침대에서 벌떡 일어났다. 거실 쪽으로 귀를 기울여봤지만 아무 소리도 들리지 않았다.

그때 조심스러운 노크 소리와 함께 작은 목소리가 들려왔다.

"나의 경애하는 마리 아가씨, 이제 안심하셔도 됩니다. 기쁜 소식을 가져왔습니다."

마리는 호두까기 인형, 그러니까 드로셀마이어 청년의 목소리를 알아듣고는 얼른 겉옷을 걸친 후 문을 열어주었다. 문밖에는 호두까기 인형이 서 있었다. 오른손에는 피가 뚝뚝 떨어지는 검을, 왼손에는 촛불을 든 채였다. 호두까기 인형은 마리를 보자마자 한쪽 무릎을 꿇으며 말했다.

"경애하는 아가씨, 당신이 심어준 용기, 당신이 실어준 힘 덕에 감히 당신을 괴롭히던 오만한 적을 무찌를 수 있었습니다. 흉악무도한 생쥐 왕은 지금 자기가 흘린 피 웅덩이 속에 쓰러져 있습니다. 소중한 마리 아가씨, 목숨이 다할 때까지 당신에게 헌신할 것을 맹세하며 이 승리의 증표를 바치니 부디 거절 말고 받아주십시오."

호두까기 인형은 그렇게 말하며 왼팔에 걸고 있던 일곱 개의 왕관을 마리에게 바쳤다. 마리는 더없이 기뻐하며 왕관들을 받아들었다.

한쪽 무릎을 꿇고 있던 호두까기 인형이 자리에서 일어나며 말했다.

"더없이 소중한 아가씨, 이제 적을 무찔렀으니 아가씨께 보답하고 싶습니다. 잠시 시간을 내서 저와 함께 가주신다면 아름답고 근사한 것들을 보여드리겠습니다. 제발 제 청을 들어주세요, 소중한 나의 마리 아가씨."

12장

장난감 왕국

아마 이 책을 읽고 있는 독자들 중 누구라도 이런 청을 받았다면 망설임 없이 호두까기 인형을 따라나섰을 것이다. 마음속에 나쁜 생각이라고는 한 점도 없는 선한 호두까기 인형을 따라가는 데 망설일 이유가 없기 때문이다. 마리 또한 호두까기 인형의 청을 흔쾌히 받아들였다. 마리는 자신이 호두까기 인형의 감사 인사를 받을 자격이 충분하다는 것도, 또 호두까기 인형이 약속대로 아름답고 근사한 것들을 보여주리라는 것도 잘 알고 있었다.

"기꺼이 당신과 함께 가겠어요, 드로셀마이어 씨. 하지만 너무 멀거나 오래 걸리는 곳은 아니었으면 해요. 아시다시피 잠을 제대로 못 잤거든요." 마리가 말했다.

"그렇다면 아주 편안한 길은 아니지만 가장 빠른 지름길로 안내하겠습니다." 호두까기 인형이 답했다.

호두까기 인형이 앞장서서 걷기 시작하자 마리가 얼른 일어나 뒤를 따랐다. 잠시 걷다 멈춰선 곳은 복도에 있는 커다란 옷장 앞이었다. 늘 잠겨 있던 옷장 문이 이상하게도 그날은 활짝 열려 있었다. 옷장 가운데에는 여우 가죽으로 만든 아버지의 여행용 외투가 걸려 있었다. 호두까기 인형은 외투 가장자리의 장식을 잡고 외투 윗부분으로 재빨리 기어올라갔다. 마침내 외투 등 쪽으로 늘어진 장식 끈에 손이 닿을 만큼 높이 올라간 호두까기 인형이 그 끈을 힘껏 잡아당겼다. 그러자 외투 소매 안쪽에서 삼나무로 된 우아한 계단이 스르르 내려왔다.

"고귀한 마리 아가씨, 이쪽으로 올라오시죠." 호두까기 인형이 마리를 계단으로 안내했다.

소매를 지나 외투의 목 부분으로 이어진 계단을 잠시 오르다 보니 어느새 눈부신 빛이 마리를 감쌌다. 향긋한 풀 내음에 주위를 둘러보니 마리는 어느새 수백만 개의 불빛이 보석처럼 반짝이며 피어오르는 초원 위에 서 있었다.

“이곳은 사탕 초원이랍니다.” 호두까기 인형이 말했다. “하지만 곧 저 대문을 통해 다른 곳으로 갈 거예요.”

호두까기 인형의 말에 고개를 들어 앞을 보니 바로 몇 발짝 앞에 아름답게 장식된 대문이 하나 있었다. 새하얀 대리석으로 된 것 같은 대문 곳곳에는 갈색과 건포도색 반점이 눈에 띄었다. 그런데 가까이 다가가서 보니 이 문은 설탕에 아몬드와 건포도를 넣고 구운 과자로 만든 것이었다. 호두까기 인형은 그 대문의 이름이 아몬드건포도 문이라고 알려주었다. 그러면서 장난치기 좋아하는 짓궂은 사람들은 ‘간식 문’이라고 부른다는 사실도 귀띔해주었다.

대문 위쪽에는 갱엿으로 만든 발코니가 있었는데, 발코니에는 빨간 옷을 입은 작은 원숭이 여섯 마리가 앉아 터키풍의 행진곡을 연주하고 있었다. 아름다운 음악소리에 정신이 팔린 마리는 발밑에 깔린 알록달록한 타일들이 사실은 반들반들하게 갈아낸 알사탕이라는 것도 모르고 그냥 지나칠 뻔했다.

길을 걷던 마리와 호두까기 인형의 양옆으로 숲이 나타나며 달콤한 향기가 이들을 감쌌다. 숲길로 들어서자 그늘이 져서 조금 어둡게 느껴졌지만, 나무에 달린 금색, 은색의 과일들은 햇빛을 받아 아름답게 반짝였다. 나무의 몸통과 가지는 결혼식의 신랑신부와 하객들을 연상시키는 우아한 리본과 작은 꽃다발들로 예쁘게 장식되어 있었다. 오렌지 향기를 머금은 부드러운 바람이 불어오자 나뭇가지에 걸린 반짝이는 크리스마스 장식 조각과 나뭇잎들이 부딪쳐 바스락대며 노래했다.

"아, 정말 아름다운 곳이네요!" 마리가 황홀해하며 외쳤다.

"이곳은 크리스마스트리 숲이랍니다." 호두까기 인형이 알려주었다.

"괜찮다면 여기에 조금만 더 있고 싶네요. 어쩜 이렇게 예쁠까!"

마리의 말을 들은 호두까기 인형이 작은 손으로 손뼉을 쳤다. 그러자 설탕으로 만든 것처럼 새하얀 목동 소년과 소녀, 남자 사냥꾼과 여자 사냥꾼이 어디선가 나타났다. 사실 설탕 인형들은 아까부터 숲속에 있었지만, 크리스마스트리에 정신이 팔린 마리가 이들의 존재를 알아차리지 못한 것이었다. 설탕 인형들은 앙증맞은 황금 의자를 가져와 하얀 감초 방석을 깔더니 공손한 몸짓으로 마리에게 앉을 것을 권했다. 마리가 자리에 앉자 사냥꾼들이 뿔피리 연주를 시작하고 목동 소녀와 소년은 음악에 맞춰 춤을 추었다. 공연을 마친 설탕 인형들은 다시 숲속으로 쪼르르 사라졌다.

“이런, 공연이 어설펐네요.” 호두까기 인형이 난감해하며 말했다. “목동들의 몸짓이 조금 어색했지만 부디 이해해 주시기 바랍니다. 꼭두각시 무용수들이다 보니 한 가지 동작밖에 할 줄 모르거든요. 사냥꾼들의 뿔피리 소리에 힘이 없었던 것도 사실은 이유가 있답니다. 크리스마스트리에 걸려 있던 사탕 바구니의 위치가 조금 높아서 사냥꾼들의 팔이 닿지 않았지 뭡니까. 그래서 힘이 빠졌던 거죠. 공연은 조금 아쉬웠지만 이제 다시 떠나볼까요?”

“그래도 근사한 공연이었어요. 저는 정말 재미있게 보았어요.” 마리는 다시 호두까기 인형을 따라나서며 말했다.

둘은 달콤한 소리를 내며 졸졸 흐르는 개울을 따라 걸었다. 개울물에서 퍼져나오는 좋은 향기가 숲을 가득 채우는 것 같았다.

“아, 이건 오렌지 개울이랍니다.” 궁금해하는 마리에게 호두까기 인형이 알려주었다. “오렌지 개울이 향기롭기는 하지만 역시 크고 아름답기로는 레모네이드 강이 한 수 위죠.

오렌지 개울과 레모네이드 강은 모두 아몬드우유 바다로 흘러들어 간답니다."

조금 걷다 보니 이내 물이 세차게 흐르는 소리가 들리며 레모네이드 강의 지류가 시야에 들어왔다. 레모네이드 강은 초록빛 보석 같은 덤불 사이로 옅은 호박색 물결을 일으키며 흐르고 있었다. 강물에서는 한번 맡기만 해도 몸과 마음을 상쾌하게 해주는 신선한 향기가 올라왔다. 그리 멀지 않은 곳에 짙은 노란색으로 완만하게 흐르는 레모네이드 강의 본류가 있었다. 넓은 강에서는 형언할 수 없이 달콤한 향기가 피어올랐고, 강가에 앉은 작은 아이들은 낚시를 하고 있었다. 아이들은 물고기를 낚아 올려서 그 자리에서 맛있게 먹고 있었는데, 자세히 보니 아이들이 잡은 것은 물고기가 아니라 고소한 헤이즐넛 열매였다.

조금 더 걸어 올라가자 아담한 마을이 하나 나타났다. 마을은 크지는 않았지만 집이며 헛간, 교회에 사제관까지 오밀조밀 들어차 있었는데, 모두 짙은 갈색 벽에 황금색 지붕을 이고 있었다. 설탕에 졸인 오렌지 껍질이나 아몬드를 붙여 벽을 알록달록하게 장식한 집들도 있었다.

"레브쿠헨* 마을이랍니다." 호두까기 인형이 말했다.

"마을 옆으로는 꿀의 강이 흐르지요. 주민이 다들 예쁘고 잘생겼는데, 대부분 치통을 앓아서 짜증이 많은 편이에요. 그러니 저 마을에는 들르지 말고 그냥 지나갑시다."

그때 마리의 눈에 또 다른 마을이 들어왔다. 알록달록한 반투명의 집들이 들어찬 마을의 모습은 정말이지 너무나 아름다웠다.

호두까기 인형은 마을로 곧장 들어갔다. 마을에 들어서자 왁자지껄 시끄럽게 떠드는 소리가 들렸다. 소리가 나는 쪽으로 가보니 아담하고 귀여운 주민이 장터에 모여 짐수레에 높이 쌓인 짐을 이리저리 살피고 내려놓느라 정신이 없었다. 자세히 살펴보니 짐수레에 실린 짐은 색색의 종이와 네모난 초콜릿 조각이었다.

"이곳은 사탕 마을입니다. 저 짐들은 각각 종이 나라와 초콜릿 왕국에서 보내온 것들이고요. 사실은 사탕 마을이 얼마 전에 모기 제독의 공격을 받아 피해를 입었답니다. 그래서 종이 나라에서 보내온 종이로 집을 덮고 초콜릿 왕국

* 견과류와 꿀, 향신료를 넣고 구운 독일의 전통적인 크리스마스 과자로, 뉘른베르크에서 처음 만든 것으로 알려져 있음.

에서 보내온 튼튼한 초콜릿 조각으로 기둥을 다시 세우려는 거죠. 그런데 경애하는 마리 아가씨, 아쉽지만 장난감 왕국에 있는 모든 마을과 도시를 다 둘러볼 수는 없답니다. 시간이 없으니 이제 수도로 갑시다. 장난감 왕국의 수도를 보여드릴게요."

말을 마친 호두까기 인형이 서둘러 앞장섰고, 마리는 호기심에 가득 차 황급히 그 뒤를 따랐다. 걷기 시작한 지 얼마 되지 않아 그윽한 장미 향이 느껴졌다. 사방을 둘러보니 모든 것이 은은한 장밋빛으로 빛나고 있었다. 호두까기 인형과 마리 앞에는 어느새 나타난 장밋빛 호수가 붉게 빛나고 있었다. 은색 물결이 일렁이는 붉은 호수에 빛이 반사되며 사방의 모든 것을 장밋빛으로 바꿔놓은 것이었다.

넓게 펼쳐진 아름다운 호수에는 금목걸이를 두른 은백색의 백조들이 서로 경쟁하듯 아름다운 목소리로 노래를 부르며 헤엄쳐 다니고 있었다. 다이아몬드처럼 반짝이는 물고기들이 백조의 노랫소리에 맞춰 춤을 추듯, 수면 위로 뛰어올랐다가 사라지기를 반복했다.

"아, 이건 드로셀마이어 대부님이 제게 만들어주겠다고 하신 그 호수예요! 대부님의 말씀대로 백조들과 놀아줄 수 있게 되었네요!"

마리가 기뻐하며 외치자 호두까기 인형의 얼굴에는 웬 일인지 지금까지 마리가 한 번도 본 적 없는 조소가 떠올랐다. 호두까기 인형은 어딘가 못마땅한 말투로 말했다.

"아가씨의 대부님도 이런 호수를 만들지는 못합니다. 오히려 대부님보다는 경애하는 마리 아가씨가 만들 가능성이 더 크지요. 하지만 일단 제 말은 신경 쓰지 않으셔도 됩니다. 이제 장미 호수를 건너 장난감 왕국의 수도로 가보지요."

13장

장난감 왕국의 수도

호두까기 인형이 작은 두 손으로 손뼉을 치자 장미 호수에 물결이 일었다. 호숫가로 밀려드는 파도가 높아져 고개를 들어보니 저 멀리서 배 한 척이 다가오고 있었다. 태양처럼 찬란하게 반짝이는 보석으로 장식된 조가비 모양의 배는 황금빛 돌고래 두 마리가 끌고 있었다. 배가 호숫가에 도착하자 안에 타고 있던 작은 무어인 열두 명이 총총 뛰어내렸다. 화려하게 빛나는 벌새 깃털로 지은 모자와 튜닉 차림의 작은 무어인들은 마리와 호두까기 인형을 가볍게 안아 들더니 파도 위를 사뿐사뿐 걸어가 배에 태웠다.

조가비 배는 장밋빛 물결을 일으키며 호수로 나아갔다.

황금빛 돌고래들이 숨구멍으로 뿜어낸 투명한 수정 같은 물줄기가 포물선을 그리며 수면 위로 떨어지자 작은 은방울 두 개가 울리는 것 같은 영롱한 노랫소리가 퍼졌다.

장미 호수 위를 지나는 이가 누구인가요?
사랑스러운 요정님이 타고 있군요
작은 모기들이 윙윙
작은 물고기들이 찰박찰박
백조들이 슈슈
방울새가 트랄라
물결아 잠잠하게 흘러라
바람아 잔잔하게 불어라
오늘은 모든 것이 평화롭게
사랑스러운 요정님이 오는 날이니

그런데 조가비 배 뒤쪽에 타고 있던 무어인들은 물줄기의 노랫소리가 마음에 들지 않는지 머리 위로 쓰고 있던 대추야자 잎 양산을 요란하게 흔들어댔다. 무어인들이 모두 함께 낯선 박자로 발을 구르며 노래를 부르기 시작했다.

쿵쿵 쾅쾅 쿵쿵 쾅쾅

위로 아래로, 아래로 위로

열두 명의 무어인은 노래한다네

우렁찬 목소리로 언제까지나

물고기야 비켜라

백조들도 비켜라

언제까지나 노래할 테야

쿵쿵 쾅쾅 쿵쿵 쾅쾅

위로 아래로, 아래로 위로

"무어인들은 아주 독특한 사람들이죠." 호두까기 인형이 당황한 듯한 목소리로 말했다. "재미있는 노래긴 하지만 계속 저렇게 소란을 피웠다가는 호수 전체가 들고일어나겠는데요?"

호두까기 인형이 말을 마치기가 무섭게 호수의 수면 위아래에서 목소리가 모여들며 소란이 일었지만, 마리는 별로 신경 쓰지 않고 향기로운 장밋빛 물결만 바라보았다. 일렁이는 수면 아래에서 어여쁜 소녀가 마리에게 다정한 미소를 보내고 있었다.

“우와!” 마리가 손뼉을 치며 외쳤다. “여기 좀 봐요, 친애하는 드로셀마이어 씨. 물결 속에 피를리파트 공주가 있어요. 저를 보며 상냥하게 웃고 있네요. 여기 좀 보세요!”

그 말을 들은 호두까기 인형이 어딘지 모르게 슬픈 한숨을 내쉬며 말했다.

“소중한 마리 아가씨, 그건 피를리파트 공주가 아니라 호수에 비친 아가씨의 모습이랍니다. 장밋빛 물결에 비친 아가씨의 예쁜 얼굴이지요.”

그 말을 들은 마리는 자신의 실수가 부끄러웠는지 배 밖으로 내밀고 있던 고개를 얼른 다시 안으로 집어넣고는 눈을 꼭 감았다.

배가 호수 맞은편에 도착하자 열두 명의 무어인은 다시 마리와 호두까기 인형을 번쩍 들어 올려 뭍에 내려주었다. 호숫가에는 다양한 나무가 심어진 잡목 숲이 있었는데, 모든 것이 반짝이며 빛나는 모습이 조금 전에 본 크리스마스 숲에 뒤지지 않을 만큼 멋졌다. 숲속의 모든 나무에는 지금까지 한 번도 본 적 없는 특이한 색과 향을 뽐내는 이국적인 과일이 주렁주렁 달려 있었다.

“이곳은 과일 마멀레이드 숲이랍니다. 그리고 저기 보이는 저곳이 바로 장난감 왕국의 수도죠."

고개를 돌린 마리의 눈앞에 펼쳐진 그 근사한 광경이란! 꽃들이 만발한 드넓은 초원 위에 우뚝 서 있는 장난감 왕국의 수도는 독자 여러분에게 말로는 도저히 설명할 수 없을 만큼 화려하고 웅장했다. 높이 솟은 탑들과 도시를 둘러싼 성벽은 화려한 색깔로 휘황찬란하게 빛났고, 건물들은 세상 어디에서도 본 적 없는 특이한 구조로 지어져 있었다. 건물에는 지붕 대신 정교하게 세공한 왕관들이 얹혀 있었고, 곳곳에 솟은 높은 탑들은 형형색색의 나뭇잎과 화환으로 장식되어 있었다.

호두까기 인형과 마리가 마카롱과 설탕 입힌 과일로 만든 성문을 통과하자 은으로 만든 병사들이 예의를 갖춰 '받들어 총' 자세를 취했다. 그러더니 값비싸 보이는 비단 가운을 걸친 남자가 나타나 호두까기 인형을 꼭 끌어안으며 말했다.

"잘 오셨습니다, 고귀한 왕자시여. 장난감 왕국의 수도 사탕과자 시에 돌아오신 것을 환영합니다."

마리는 지체 높아 보이는 남자가 호두까기 인형을 왕자님이라 부르며 깍듯이 대하는 것을 보고 적잖이 놀랐다. 그러나 사방에서 들려오는 환호성과 노랫소리, 웃고 떠드는 소리에 정신이 없어 호두까기 인형의 신분에 대한 생각은 잠시 접어두었다.

"드로셀마이어 씨, 왜 이렇게 소란스러운가요? 무슨 일이 있는 건가요?" 마리가 물었다.

"오, 경애하는 마리 아가씨, 전혀 놀라실 것 없습니다. 이곳 사탕과자 시는 무척 풍요롭고 활기찬 곳이지요. 매일 왁자지껄 즐거운 구경거리가 펼쳐진답니다. 저와 함께 저쪽으로 가시지요."

몇 발자국 가지 않아 커다란 시장 광장이 나타났는데, 그곳에 펼쳐진 광경 또한 놀랍기는 마찬가지였다. 광장을 둘러싼 집들은 정교한 설탕세공으로 장식되어 있었는데, 여러 층짜리 건물이어서 발코니 위에 또 발코니가 있었다. 광장 중앙에는 바움쿠헨* 오벨리스크가 우뚝 서 있었는데, 오벨리스크를 둘러싼 네 개의 분수에서는 레모네이드와 오렌지에이드를 비롯한 달콤한 마실 거리가 뿜어져 나왔다. 분수대 안에는 당장에라도 한 숟갈 떠먹고 싶게 만드는 진하고

* 나무통 모양을 본떠서 만든 독일의 케이크

달콤한 크림이 가득 차 있었다.

하지만 역시 가장 멋진 것은 광장을 가득 채운 작은 주민들이었다. 수천 명은 족히 되어 보이는 사람들이 광장을 분주하게 오가며 웃고 떠들고 환호성을 지르며 노래를 부르고 있었다. 마리는 조금 전 자신이 들었던 시끌벅적한 소리가 바로 이 광장에서 온 소리라는 것을 깨달았다. 광장에는 근사하게 차려입은 온갖 사람들이 가득했다. 아르메니아인과 그리스인부터 시작해 유대인, 티롤 사람, 장교와 사병들, 성직자, 목동, 어릿광대들이 한데 모여 있는 그 모습은 마치 세계의 축소판 같았다.

그때 광장 한쪽 구석이 갑자기 소란스러워지는가 싶더니 그쪽에 있던 사람들이 사방으로 흩어졌다. 무슨 일인지 살펴보니 화려한 가마를 탄 무굴제국 황제가 귀족 3백 명과 노예 7백 명을 거느리고 행차를 시작하고 있었다. 또 다른 쪽에서는 매년 개최되는 어부 조합 축제에 참가한 5백 명의 어부들이 행진을 준비하고 있었다. 설상가상으로 터키 술탄이 갑자기 시장을 둘러보겠다며 3천 명이나 되는 친위대를 이끌고 나섰고, 그에 더해 어디선가 나타난 긴 행렬이 〈중단된 희생제*〉에 나오는 '위대한 태양에 감사하라'는 노래를 소리 높여 부르며 오벨리스크로 향했다.

네 행렬이 만나자 광장은 그야말로 아수라장이 되었다. 행렬의 참가자들은 한데 뒤엉켜 서로 잡아당기고 밀치며 실랑이를 벌였다. 혼란이 점점 커지던 중 비명이 울렸다. 어부에게 부딪힌 브라만 승려의 머리가 바닥에 떨어지고 어릿광대에 놀란 무굴제국의 황제가 가마에서 떨어진 것이다. 혼란이 걷잡을 수 없이 번지며 일부는 치고받고 싸우기까지 했다. 이 모습을 지켜보고 있던 비단 가운을 걸친 남자가 바움쿠헨 위로 기어 올라가 맑은 종소리를 세 번 울리더니 외쳤다.

"과자장인! 과자장인! 과자장인!"

그 순간 소란은 거짓말처럼 멈췄고, 사람들은 모두 제자리로 재빨리 돌아갔다. 서로 뒤엉켰던 네 개의 행렬도 금세 다시 깔끔하게 정리되었다. 가마에서 떨어져 진흙탕에 굴렀던 무굴제국 황제는 옷에 묻은 진흙을 닦았고, 브라만 승려의 머리도 제자리로 돌아왔다. 광장에는 다시 활기찬 웃음소리와 환호성이 울렸다.

* 독일 음악가 페터 폰 빈터가 쓴 2막짜리 오페라로 1796년 초연됨.

그 모습을 보고 있던 마리가 호두까기 인형에게 물었다.

"친애하는 드로셀마이어 씨, '과자장인'이 대체 누구기에 갑자기 이렇게 모든 게 정리된 거죠?"

"아, 소중한 마리 아가씨. 과자장인은 그 정체가 알려지지 않았지만 이곳 주민들의 운명을 좌지우지하는 엄청난 힘을 지니고 있는 신비한 인물입니다. 주민 모두가 과자장인을 무척 두려워해서, 그 이름을 외치는 것만으로도 웬만한 소동은 해결할 수 있죠. 방금 시장님이 했던 것처럼 말입니다. 그 이름을 듣는 순간 누가 누구를 찔렀네, 누가 누구의 머리를 쳤네 하는 세속적인 것들이 더는 중요하지 않게 됩니다. 모두가 하던 일을 멈추고 '인간이란 무엇일까? 운명이란 무엇일까?'라는 진지한 질문에 집중하죠."

그렇게 이야기하며 걷던 마리와 호두까기 인형 앞에 웅장한 왕궁이 한 채 나타났다. 하늘로 치솟은 수백 개의 탑으로 둘러싸인 장밋빛 성의 모습에 마리의 입에서 경탄에 찬 외침이 터져 나왔다. 왕궁의 벽은 제비꽃과 수선화, 튤립과 비단향꽃무 등 온갖 꽃으로 장식되어 있었는데, 꽃들의 선명한 색깔이 옅은 분홍색의 성벽과 대조를 이루어 더욱 아름다웠다. 중앙 건물의 돔 모양 지붕과 성탑의 피라미드 모양 지붕에는 금색 은색으로 반짝이는 수천 개의 별들이 뿌려져 있었다.

"자, 여기가 마지팬 성이랍니다." 호두까기 인형이 말했다.

마리는 마법같이 아름다운 성의 모습을 감상하는 와중에도 성탑 한 개의 윗부분이 통째로 사라지고 없는 것을 놓치지 않았다. 부서진 성탑 주위에 설치된 계피 가지 구조물에는 작은 사람 여럿이 올라가 수리 작업을 진행하고 있었다. 마리가 무슨 일이 있었는지 물으려는 차에 호두까기 인형이 말했다.

"사실 이 성이 얼마 전 아주 심각한 위험에 노출된 적이 있답니다. 하마터면 쑥대밭이 될 뻔했지요. 단 것을 좋아하는 거인이 성 옆을 지나다가 저기 보이는 저 탑의 윗부분을 통째로 뜯어먹어 버렸거든요. 거인은 마지팬 탑이 맛있었는지 중앙 건물의 돔 지붕까지 먹어치우려 했어요. 그 모습을 본 마멀레이드 숲 주민들이 숲의 사탕과자들을 줄 테니 성은 먹지 말라고 애원했죠. 결국 거인은 마멀레이드 숲의 상당 부분을 먹어치우고 나서야 가던 길을 계속 갔답니다."

그 순간 감미로운 선율이 울려 퍼지더니 성문이 열리며

정향나무 횃불을 든 열두 명의 시동이 쪼르르 달려 나왔다. 시동들의 머리는 진주, 몸통은 루비와 에메랄드였으며, 사뿐사뿐 걷는 자그마한 발은 순금이었다. 곧 시동들이 나온 문에서 마리의 인형 클라르헨 만큼이나 커다란 네 명의 귀부인이 차례로 나왔다. 아름답고 품위 있게 치장한 귀부인들의 모습을 보니 네 명 모두 공주의 신분으로 태어났다는 것을 한눈에 알 수 있었다.

"아, 우리 왕자! 사랑하는 우리 동생이 왔구나!" 네 공주가 호두까기 인형을 다정하게 끌어안으며 외쳤다.

누이들의 환대에 감동한 호두까기 인형이 자꾸만 흐르는 눈물을 닦아냈다.

호두까기 인형은 누이들 앞에서 마리의 손을 잡더니 설레는 목소리로 말했다.

"이분은 마리 스탈바움 아가씨입니다. 매우 훌륭한 의사 선생님의 따님이며, 제 생명의 은인이지요. 결정적인 순간에 마리 아가씨가 실내화를 던져주지 않았더라면, 제 청을 듣고 퇴역한 대령의 칼을 구해다 주지 않았더라면, 저는 지금쯤 극악무도한 생쥐 왕의 날카로운 이빨에 물어뜯긴 채 무덤에 누워 있을 것입니다. 마리 아가씨는 피를리파트처럼 공주로 태어난 것은 아니지만, 아가씨의 아름다운 외모와 착한 마음씨, 고결한 덕성은 어떤 공주보다도 뛰어납니다. 그렇지 않습니까?"

"그럼요, 왕자. 그렇고말고요." 공주들이 맞장구를 치며 마리를 꼭 끌어안고 감사의 눈물을 흘렸다. "우리 동생을 구해주셔서 정말 감사해요. 고귀하고 고귀한 마리 아가씨."

공주들은 호두까기 인형과 마리를 성안의 연회장으로 안내했다. 연회장의 벽은 색색으로 찬란하게 빛나는 수정으로 장식되어 있었다. 하지만 마리의 눈길을 사로잡은 것은 따로 있었다. 바로 연회장 안의 작고 앙증맞은 의자며 탁자, 소파들이었다. 삼나무와 마호가니 나무로 만든 작은 가구들에는 금으로 상감한 꽃무늬가 새겨져 있었다.

공주들은 호두까기 인형과 마리를 자리에 앉히더니 손수 식사 준비에 나섰다. 공주들은 작은 솥과 최고급 일본산 도자기 접시, 금과 은으로 만든 숟가락과 나이프, 포크, 강판, 스튜용 냄비 등을 꺼냈다.

조리 도구를 다 꺼낸 공주들은 이번에는 마리가 한 번도 본 적이 없는 예쁜 과일과 사탕과자를 가져오더니 작고 하얀 손을 우아하게 움직여 과일 껍질을 벗기고, 향신료를 절구에 빻고, 설탕 입힌 아몬드를 강판에 갈았다. 마리는 능숙하게 움직이는 공주들을 보며 곧 근사한 요리를 맛보게 될 것 같다는 기대감에 젖었다.

분주히 움직이는 공주들을 보고 있자니 마리도 같이 식사 준비를 돕고 싶다는 생각이 들었다. 그런 마리의 마음을 읽었는지 호두까기 인형의 누이들 중 가장 아름다운 공주가 황금 절구를 건네며 말했다.

"귀여운 친구여, 내 남동생의 생명의 은인이여. 이 황금 절구로 사탕을 조금 빻아주시겠어요?"

마리가 황금 절구에 사탕을 넣고 신나게 빻기 시작하자 마치 음악소리와도 같은 아름답고 듣기 좋은 선율이 퍼져나갔다. 호두까기 인형은 누나들에게 생쥐 왕의 군대와 치열한 전투를 벌인 이야기며 비겁한 경기병들 때문에 궁지에 몰렸던 이야기를 들려주었다. 물론 생쥐 왕의 위협에서 호두까기 인형을 구하기 위해 희생되어야 했던 마리의 인형들에 대한 이야기도 빼놓지 않았다.

그렇게 호두까기 인형의 이야기를 들으며 사탕을 빻고 있는데, 어느 순간부터 호두까기 인형의 목소리도 절구를 콩콩 두드리는 소리도 희미하게 멀어지는 느낌이 들었다. 곧

이어 연회장 바닥에서 은빛 안개가 뿜어져 나오며 공주들과 시동들, 호두까기 인형, 마리까지도 감싸버렸다. 멀리서 이상한 노랫소리와 윙윙거리는 소리가 들리다가 점점 멀어지더니 솟구치는 물결에 올라탄 듯 마리의 몸이 붕 떠올랐다. 마리는 위로 올라갔다. 높이, 높이, 점점 더 높이….

14장

결말

쿵! 마리는 높이를 알 수도 없이 높은 곳에서 쿵 하고 떨어졌다. 그야말로 대단한 추락이었다. 그런데 눈을 떠보니 자기 침대 위에 누워 있는 것이 아닌가? 날은 환하게 밝아 있었고, 침대맡에 있던 어머니는 핀잔을 주었다.

"무슨 잠을 그리 오래 자니? 아침을 차려놓은 지가 언제인데."

이게 어떻게 된 일일까? 독자 여러분도 이미 짐작했겠지만, 마리는 장난감 왕국 모험에서 온갖 근사하고 진귀한 것들을 한꺼번에 너무 많이 경험한 나머지 갑자기 피로를 느껴 연회장에서 잠들어버린 것이었다. 연회장에서 잠든 마리를 스탈바움 씨네 집 마리의 침대로 옮겨놓은 것이 공주들이었는지, 시동들이었는지, 아니면 무어인들이었는지는 알 수 없지만 말이다.

"아, 엄마! 어제 젊은 드로셀마이어 씨가 저를 어디에 데려갔는지 아세요? 정말 근사한 것들을 많이 보았어요!"

마리는 어머니에게 간밤에 있었던 이야기를 생생하게 들려주었다. 마리가 어머니에게 들려준 이야기는 조금 전 내가 독자 여러분에게 들려준 것과 거의 똑같았다. 어머니는 놀란 눈으로 마리를 바라보다가 말했다.

"우리 딸 마리, 정말 길고 아름다운 꿈을 꾸었구나. 하지만 꿈은 이제 그만 잊고 현실로 돌아오렴."

마리는 꿈이 아니라 현실이었다고 계속해서 이야기했다. 그러자 어머니가 마리를 장식장 앞으로 데려가 언제나처럼 세 번째 칸에 놓여 있는 호두까기 인형을 꺼내며 말했다.

"답답하게 구는구나, 마리야. 이것 좀 보렴. 이 뉘른베르크산 나무 인형이 대체 어떻게 살아서 움직인다는 거야?"

"하지만 엄마, 이 작은 호두까기 인형이 바로 뉘른베르크 출신의 그 젊은 드로셀마이어 씨란 말이에요. 드로셀마이어 대부님의 조카요." 마리가 억울해하며 외쳤다.

그 모습에 어머니와 아버지가 큰 소리로 웃음을 터뜨렸다.

"이제 아빠까지 호두까기 인형을 비웃으시는 거예요? 호두까기 인형이 마지팬 성에 사는 공주님들에게 아빠에 대해서 얼마나 좋게 말했는데요! 훌륭한 의사 선생님이라고 했단 말이에요." 마리가 울먹이며 말했지만 그 말에 프리츠와 루이제까지 웃음을 터뜨릴 뿐이었다. 마리는 옆방으로 달려가 작은 보석 상자를 가지고 와서는 생쥐 왕의 일곱 왕관을 꺼내 어머니에게 보여주었다.

"이것 보세요. 생쥐 왕이 쓰고 있던 일곱 개의 왕관이에요. 어젯밤에 젊은 드로셀마이어 씨가 승리의 선물로 제게 준 것이란 말이에요."

어머니는 깜짝 놀라 왕관을 자세히 살펴보았다. 재질을 알 수 없는 반짝이는 금속으로 만든 작은 왕관이었는데, 깎아낸 솜씨가 어찌나 정교한지 사람의 손으로 만든 것 같지 않았다. 아버지도 꽤 오랫동안 왕관을 살펴보았다. 그러더니 대체 어디서 난 것인지 말하라며 어머니와 함께 엄한 말투로 채근했다.

하지만 마리는 했던 말을 되풀이할 수밖에 없었다. 화가 난 아버지가 마리를 거짓말쟁이로 몰아세우며 다그쳤고, 마리는 결국 서러운 울음을 터뜨리고 말았다.

"아, 나는 정말 불쌍한 아이야. 사실대로 말하고 있는데 대체 무슨 말을 더 하라는 거야."

그 순간 문이 열리며 드로셀마이어 대부가 들어왔다.

"아니, 무슨 일이니? 내 귀여운 대녀 마리야, 무슨 일로 이렇게 슬퍼하고 있는 거니?"

스탈바움 씨는 드로셀마이어 대부에게 작은 왕관들을 보여주며 자초지종을 설명했다.

왕관을 본 드로셀마이어 대부가 웃음을 터뜨리며 말했다.

"아이고, 이런. 별일도 아니었군요. 이 왕관들은 내가 시계 체인에 장식으로 매달고 다니다가 마리의 두 돌 생일에 선물로 준 것인데, 깜빡하셨나 봅니다."

마리의 부모님은 전혀 기억하지 못하는 것 같았다. 마리는 부모님의 표정이 한결 풀어진 모습에 안도하며 드로셀마이어 대부에게 바싹 다가섰다.

"대부님, 대부님은 다 아시잖아요. 호두까기 인형이 대부님의 조카라고, 뉘른베르크 출신의 젊은 드로셀마이어 씨라고, 저 왕관들도 사실은 호두까기 인형이 제게 준 것이라고 엄마 아빠께 말씀 좀 드려주세요.”

“바보 같은 소리를 하는구나.” 얼굴을 잔뜩 찌푸리며 드로셀마이어 대부가 말했다.

스탈바움 씨가 마리를 앞에 세우고는 엄한 목소리로 경고했다.

“잘 들어라, 마리. 이제 터무니없는 소리는 그만 지어내렴. 한 번만 더 이 못생긴 호두까기 인형이 드로셀마이어 대부님의 조카라고 우기면 호두까기 인형이고 클라르헨 아가씨고 전부 다 창밖으로 던져버릴 테다.”

이제 가엾은 마리는 호두까기 인형에 대한 이야기를 할 수 없었지만, 장난감 왕국의 아름다운 풍경은 언제나 마리의 마음을 가득 채우고 있었다. 독자 여러분도 그런 아름다움을 한번 경험한다면 아마 쉽게 잊지는 못할 것이다.

마리가 가끔 장난감 왕국 이야기를 꺼내려고 하면 프리츠조차도 들어주려 하지 않았다. 마리를 “바보 같은 계집애!”라고 놀렸다는 소문도 있지만, 프리츠가 평소 보여주는 선량한 성품을 고려해 그런 소문은 믿지 않기로 하겠다. 어쨌든 이제 프리츠가 마리의 말을 믿지 않는다는 것만큼은 분명했다. 프리츠는 지난번 마리의 말을 듣고 강등시켰던 경기병들의 명예를 회복시켜주었다. 프리츠는 열병식을 개최해 경기병들에게 공개적으로 사과하고 지난번 떼어냈던 계급장을 대신해 훨씬 길고 멋진 거위 털을 달아준 후 경기병 행진곡 연주를 다시 허가했다. 하지만 생쥐들이 냄새나는 포탄을 쏘았을 때 프리츠의 경기병들이 붉은 제복에 얼룩이 묻을까 봐 얼마나 우왕좌왕했는지는 독자 여러분도 나만큼이나 잘 알고 있으리라 생각한다.

마리는 누구에게도 자신이 겪은 모험 이야기를 할 수 없었다. 그러나 아름다운 장난감 왕국의 달콤한 풍경과 그곳에서 들은 감미로운 음악소리는 늘 마리의 마음을 가득 채우고 있었고, 마음만 먹으면 그 생생한 기억을 언제든 불러낼 수 있었다. 마리는 예전처럼 놀기보다는 혼자 조용히 앉아 생각에 잠기는 일이 점점 잦아졌다. 식구들은 그런 마리를 보고 꼬마 몽상가가 되었다며 놀려댔다.

드로셀마이어 판사가 스탈바움 씨네 시계를 고치러 온 어느 날이었다. 마리는 그날도 혼자만의 생각에 잠겨 장식장 앞에 앉아 있다가 자기도 모르게 호두까기 인형을 보고 소리 내어 말해버렸다.

"아, 친애하는 드로셀마이어 씨. 피를리파트 공주는 자기 때문에 흉한 모습을 가지게 된 당신을 매몰차게 내쳤죠. 하지만 저는 그런 일이 생겨도 당신을 절대 버리지 않을 거예요."

"또 말도 안 되는 소리를 하고 있구나." 시계를 고치던 드로셀마이어 대부가 말했다.

그 순간 뭔가가 우당탕 부딪치는 소리가 났고, 마리는 정신을 잃고 의자에서 떨어졌다. 다시 깨어난 마리의 곁에서는 어머니가 내려다보고 있었다.

"아니, 다 큰 아이가 의자에서 떨어지고 그러니? 방금 드로셀마이어 판사님의 조카가 뉘른베르크에서 도착했다고 하는구나. 얌전하게 굴어야 해."

마리는 고개를 들고 드로셀마이어 대부를 바라보았다. 대부는 다시 유리섬유 가발을 쓰고 노란 외투를 입은 채 기분 좋은 듯 웃으며 한 젊은이의 손을 잡고 있었다. 아담하지만 다부져 보이는 그 젊은이는 가장자리에 금색 테두리를 두른 멋진 빨간 외투를 입고 하얀 비단으로 만든 양말과 구두를 신은 채 가슴에는 자그마한 꽃 장식을 달고 있었다. 우유처럼 뽀얀 얼굴에는 보기 좋은 혈색이 돌았는데, 섬세하게 손질해 분을 바른 머리채를 등 뒤로 단정하게 늘어뜨리고 있었다. 허리에 찬 작은 칼은 온갖 보석으로 장식한 듯 반짝였고, 옆구리에 낀 모자는 비단으로 만든 것이었다.

청년은 친절하고 예의 발랐다. 마리에게는 온갖 장난감과 사탕과자를 선물했는데, 그중에서도 설탕 인형과 마지팬 과자는 지난번 생쥐 왕이 갉아 먹어버렸던 것과 똑같은 것들이었다. 프리츠에게는 근사하고 우아한 사브르 검을 선물했다.

젊은이는 식탁에서 모두를 위해 호두를 까주기도 했다. 아무리 단단한 껍질도 척척 까냈는데, 오른손으로 호두를 입에 넣고 왼손으로 머리채를 들어 올렸다 내리기만 하면 호두는 따닥 소리를 내며 깨졌다.

청년을 바라보는 마리의 뺨이 장밋빛으로 물들었다. 저녁식사 후 청년이 거실에 있는 장식장을 함께 구경하러 가자고 했을 때는 마리의 얼굴이 정말 새빨개지고 말았다.

"가서 함께 재미나게 놀려무나. 이제 시계들도 다 문제없이 잘 가고 있으니 내가 반대할 이유는 없구나." 드로셀마이어 대부가 말했다.

드로셀마이어 젊은이는 마리와 장식장 앞에 단둘이 있

게 되자 한쪽 무릎을 꿇으며 말했다.

"나의 소중한 마리 아가씨! 바로 이곳에서 아가씨가 제 목숨을 구해주셨지요. 그때 당신 덕에 목숨을 건진 운 좋은 젊은이가 지금 당신 앞에 무릎을 꿇고 있습니다. 아가씨는 제 모습이 흉측해져도 결코 피를리파트 공주가 했던 것처럼 저를 내치지 않겠다고 말씀하셨지요. 당신의 말씀 덕분에 저는 흉측한 호두까기의 모습을 벗고 다시 제 모습을 찾았습니다. 아, 너무나도 훌륭한 마리 아가씨. 당신에게 손을 내미노니 부디 저의 청혼을 받아들여 주세요. 저와 함께 마지팬 성에서 장난감 왕국을 다스려주십시오. 저는 마침내 그 나라의 왕이 되었습니다."

마리는 젊은이를 일으켜 세우고는 부드러운 목소리로 답했다.

"친애하는 드로셀마이어 씨, 당신은 정말 온화하고 훌륭한 품성을 지닌 분이에요. 정말 귀엽고 재미있는 주민들을 다스리는 왕이기도 하지요. 저는 기꺼이 당신을 남편으로 맞이하겠습니다."

그리해서 마리는 젊은 드로셀마이어와 결혼을 약속했다. 1년 뒤, 드로셀마이어는 은색 말이 끄는 황금 마차를 보내 마리를 장난감 왕국으로 데려갔다. 결혼 축하연에서는 진주와 다이아몬드로 치장한 2만 2천 명의 주민이 흥겹게 춤을 추었다고 한다.

마리는 지금도 왕비로서 장난감 왕국을 다스리고 있다고 한다. 크리스마스트리 숲과 마지팬 성이 있는, 그리고 아름다움을 볼 수 있는 눈을 지닌 이에게 온갖 멋진 것들을 보여주는 바로 그 나라에서 말이다.

여기까지가 호두까기 인형과 생쥐 왕에 대한 이야기다.

◆◆◆

작가 소개

에른스트 테오도어 아마데우스 호프만은 1776년 변호사인 아버지와 어머니 사이의 세 자녀 중 막내로 태어났다. 법학을 공부했으며, 어릴 적부터 피아노 연주를 비롯해 글과 그림에도 두각을 나타내는 등 다재다능했다. 1796년 법원에서 일하는 삼촌의 서기로 고용되었고 2년 후 삼촌이 베를린 법원의 법관으로 승진하자 함께 베를린으로 이사했다. 베를린에서 처음으로 오페레타를 작곡하는 등 자신의 재능을 세상에 선보이기 시작한다. 결혼한 뒤에는 폴란드에 정착했으며, 생애 가장 안정되고 행복한 시간을 보낸다. 하지만 1806년 나폴레옹이 바르샤바를 점령하자 일자리를 잃고 어쩔 수 없이 베를린으로 돌아온다. 그 후 15개월은 호프만의 생애 최악의 기간으로, 일자리를 구하지 못한 채 친구들에 의지해 겨우 생계를 이어가는 가운데 딸의 죽음까지 겪는다. 고통 속에서도 그는 성가대를 위한 찬송가를 작곡하는 등 창작 활동을 이어간다. 이후 극장 매니저, 음악평론가로 일하며, '악장 요하네스 크라이슬러의 전기' 등의 작품을 구상한다.

1809년에 발표한 <리터 글루크>는 20년 전에 죽은 작곡가 크리스토퍼 글루크를 실제로 만났거나 적어도 만났다고 믿는 사람에 관한 이야기로, 당시 도플갱어라는 용어를 만든 장 폴의 업적을 기리는 작품이다. 이 작품이 호프만에게 전기가 되어주었는데, 이후 괴기와 환상이 어우러지는 그의 독특한 작품세계가 완성된다. 또한 그는 이 작품에서 '아마데우스'라는 필명을 처음 사용했는데, 이는 그가 열렬히 추종하는 볼프강 아마데우스 모차르트의 이름에서 따온 것이다.

1813년 드레스덴의 오페라극장 음악감독이 되어 이주하지만 그곳에서 다시 드레스덴 전투를 겪는다. 1814년 9월에 나폴레옹이 패배하고 호프만은 베를린으로 돌아온다. 이후 수많은 걸작을 탄생시킨다. 1819년부터 호프만은 질병과 싸우고 법적 분쟁에 연루되기도 한다. 알코올 남용과 매독은 1822년 초에 그의 몸을 마비시켰고, 호프만은 구술에 의지해 작품 활동을 이어가다가 같은 해 6월 25일 46세의 나이로 사망했다.

♦♦♦

작품 소개

《호두까기 인형과 생쥐 왕》은 독일의 작가 에른스트 호프만이 1816년에 발표한 동화다. 이 책의 등장인물 루이제, 프리츠, 마리 남매는 에른스트 호프만의 친구 에두아르트 히지히의 세 자녀를 모델로 했다. 장남 프리드리히, 장녀 유지니, 그리고 막내딸 클라라가 그 주인공으로, 이 가운데 막내 클라라는 매우 똑 부러지고 아름다운 소녀로, 자라서 미술사 교수이자 후에 교육부 장관을 지낸 프란츠 쿠글러와 결혼해서 세 명의 자녀를 두었다. 베를린대학교에서 문학과 음악, 미술을 공부한 쿠글러는 자신의 예술적 감각을 살린 개인 살롱을 열어 베를린 예술계의 유명인사가 되었다. 그곳에서 클라라 쿠글러는 주로 가족과 개인의 복지에 관심을 두고 여주인으로서 역할을 수행했다. 1858년 남편이 죽자

그녀는 뮌헨에 있는 아들 집으로 이주해 살다가 1873년 심장마비로 사망했다. 여덟 살 소녀 마리는 아름답고 현명한 클라라를 기념하기 위해 탄생했다. 이 작은 소녀는 못생긴 호두까기 인형을 보호하고 그에 대한 믿음과 사랑을 보여주는 고귀한 캐릭터로 시간과 공간을 초월해 사랑받고 있다.

《호두까기 인형과 생쥐 왕》은 독일에서 초판이 출간되고 약 28년 후인 1844년 《삼총사》와 《몬테크리스토 백작》으로 유명한 프랑스 작가 알렉상드르 뒤마에 의해 '클라라'를 주인공으로 각색되어 소개되기도 했다. 이 뒤마의 작품을 바탕으로 1892년 차이콥스키의 발레곡으로 재탄생한 〈호두까기 인형〉은 지금도 크리스마스 시즌이면 매년 전 세계에서 공연되며 변함없는 인기를 이어가고 있다.

호두까기 인형과 생쥐 왕

초판 1쇄 발행 2018년 12월 10일

지은이 에른스트 테오도어 아마데우스 호프만
옮긴이 정영은
번역 감수 강주헌
발행인 박영규
총괄 한상훈
편집장 김기운
기획편집 김혜영 정혜림 조화연 **디자인** 이선미 **마케팅** 신대섭

발행처 주식회사 교보문고
등록 제406-2008-000090호(2008년 12월 5일)
주소 경기도 파주시 문발로 249
전화 대표전화 1544-1900 **주문** 02)3156-3681 **팩스** 0502)987-5725

ISBN 979-11-5909-950-2 04850
ISBN 979-11-5909-949-6(세트)
책값은 표지에 있습니다.

• 이 도서의 국립중앙도서관 출판예정도서목록(CIP)은 서지정보유통지원시스템 홈페이지(http://seoji.nl.go.kr)와 국가자료공동목록시스템 (http://www.nl.go.kr/kolisnet)에서 이용하실 수 있습니다. (CIP제어번호: CIP2018039477)
• 잘못된 책은 구입하신 곳에서 바꾸어 드립니다.